lekker Hollands

Receptuur Yolanda van der Jagt
Teksten Job Franken

ⓜ

Inhoud

5

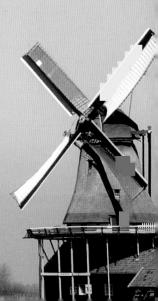

Jamie Oliver over Yolanda

'Not only is Yolanda a good dutch girl but she's also a great chef who has worked in some amazing restaurants around the world.'

I worked alongside her at the River Café in London and not only is she an incredibly hard worker but she is a knowledgeable and talented cook with a passion for quality seasonal ingredients. After the River Café she went to work for the legendary Alice Waters at Chez Panisse in California and since then she has helped me set up the Fifteen restaurant in Amsterdam. Yo's first book is a brilliant tribute to the produce and cookery of Holland and the recipes are accessible and easy enough for anyone to have a go at. On top of all this she can also keep up with all the boys when drinking at the pub - nice one!'

Voorwoord

Stellendamse garnaaltjes, Limburgse asperges en echte Hollandse aardbeien. Na jaren te hebben gereisd en gewerkt in het buitenland geniet ik weer volop van al die oer-Hollandse producten en gerechten en dat vind je terug in dit boek.

Niks heerlijkers dan langzaam gestoofde rode kool met appeltjes in de winter of de eerste nieuwe haring in de lente. Mijn absolute favoriet is een simpele stamppot boerenkool met een schep grove mosterd, kleine augurkjes en een overheerlijke rookworst. Maar ik ben ook een groot fan van de mediterrane keuken, dus gebruik ik in dit boek af en toe een verdwaald kappertje in een gerecht of bijvoorbeeld ansjovisboter bij geroosterd rundvlees.

Natuurlijk zijn er allerlei ingrediënten die van oorsprong niet hier vandaan komen, maar die wel volledig geïntegreerd zijn in onze keuken, denk aan macaroni of spaghetti - ik kan me niet meer herinneren dat die er níet waren. In dit boek vind je geen koriander, en ook geen sojasaus. Die zijn natuurlijk allang ingeburgerd, maar ik wilde de gerechten graag zo puur mogelijk houden, om aan te tonen dat je met echt Hollandse ingrediënten heel erg puur en lekker kunt koken.

Koken met producten van eigen bodem is in opmars en dat is terecht: wat je van dichtbij haalt is nu eenmaal lekker en vers. Maar kook wel met aandacht en passie, zo maak je met deze bijzondere ingrediënten de heerlijkste gerechten.

Succes met Lekker Hollands koken... Yolanda

Smaakzin

Hele boekwerken zijn volgeschreven over het hoe en waarom van ruiken en proeven, maar nog steeds begrijpen we niet hoe het exact werkt. Waar we wel zeker van zijn, is dat proeven een ingewikkeld samenspel is van mondgevoel, geur en smaak. Gecombineerd met onze hersenen die dit alles interpreteren en onthouden.

Hoewel we dus niet precies weten hoe het proeven werkt, weet ik wel hoe ik mijn smaakzin het best kan inzetten om gerechten goed op tafel te krijgen. Dat begint al als ik boodschappen doe. Ik kijk eerst hoe de producten eruitzien. De sla moet mooi groen zijn, knapperig en vers. Vaak proef ik even een klein blaadje. Ik proef ook bijna altijd wel een klein tomaatje of een rauwe sperzieboon voor ik ze koop. Door rauw te proeven leer je de essentie van de producten kennen. Als ik bijvoorbeeld bij Walter (pagina 26), of bij de Wolverlei (pagina 242) in de tuin sta, proef ik alles wat er lekker uit ziet. Van aardbeien tot jonge venkel tot rauwe aardappel, niets is veilig. Nergens heb ik meer inspiratie dan wanneer ik bij de boer op het land een boontje proef, of bijvoorbeeld een stukje boerenkaas.

Goed proeven betekent niet iets in je mond steken en hard kauwen. Het is een kunst om goed te proeven, om onder woorden te kunnen brengen wat je proeft en waarom dit lekker is of niet. Gedurende je leven ontwikkelt je smaakzin zich. Wist je dat kleine kinderen van zoet houden omdat hun lichaam, dat nog in de groei is, veel meer suikers nodig heeft dan een volgroeid lichaam? Naarmate je ouder wordt, krijg je meer behoefte aan bitter, zuur en zout. Zoet is met afstand de meest toegankelijke smaak. Minder ervaren proevers zullen negen van de tien keer een voorkeur hebben voor een zoeter gerecht dan meer ervaren proevers. Je kunt je smaakzin heel goed zelf trainen. Het recept is simpel: eet pure, onbewerkte producten, liefst rauw. Maar ga ook eens uit eten en bestel dan juist gerechten die je niet snel thuis zult maken. Proef vooral bewust. Vraag je af wat je nu eigenlijk proeft en durf ook vragen te stellen aan de bediening. Je zult na een tijdje merken dat je smaak zich ontwikkelt.

Terug naar de keuken. Omdat je nu weet hoe je ingrediënten rauw smaken, kun je die smaken proberen samen te brengen. De truc: blijf tijdens het koken steeds proeven. Aan de buitenkant van een boontje of van pasta kun je vaak niet zien of deze al de perfecte gaarheid heeft bereikt. Pas proeven als de borden op tafel staan is uit den boze! In professionele keukens wordt echt continu geproefd.

In restaurants smaken gerechten vaak anders, omdat het eten daar 'hoger op smaak' is dan wanneer je thuis kookt. Professionele koks gebruiken bijvoorbeeld veel meer zout dan je thuis gewend bent. Ook boter en room worden in professionele keukens vaak in grote hoeveelheden gebruikt. Gelukkig kun je ook zonder dat uitbundig te doen iets lekkers op tafel zetten.

Zin in iets bijzonders? Ga eens eten bij de Panhoeve in 's-Heer Arendskerke. Dit restaurant in Zeeland is uniek omdat het de volledig eigen voedselproductie rond het bedrijf heeft.

Boodschappen à la Yolanda

Producten die ik koop moeten er goed uitzien en lekker smaken. Meestal ga ik zonder boodschappenlijst van huis en zie ik wel wat er gebeurt.

Natuurlijk koop ik dan altijd veel te veel, maar dat is nooit een probleem want er is altijd wel een gerecht te verzinnen waar ik die ingrediënten in kan verwerken. Op zaterdagochtend ga ik graag naar de biologische markt, bijvoorbeeld die in Amsterdam op de Noordermarkt. Alle producten zijn er vers en puur, je ziet letterlijk de dauw van die ochtend nog op de tomaten en peren liggen. En het is leuk om te zien hoe de mensen achter al die kraampjes zo lekker fanatiek bezig zijn met hun spullen. Het pure en het verse, gecombineerd met de energie die deze markt uitstraalt vind ik zo inspirerend! Dat is dus echt wel iets anders dan dat je de boontjes met het vliegtuig uit Timboektoe laat invliegen.

Op de Noordermarkt loop ik vaak tegen dingen aan die ik gewoon níet kan laten liggen. En alles wat er te koop is zit lekker dicht op de seizoenen, dus als er weer nieuwe appeltjes zijn dan zie ik die daar gegarandeerd het eerst. De mannen van de Wolverlei Geitenhouderij (zie pagina 242) staan er ook altijd met hun verse geitenkaasjes. Verder is er van alles te vinden: geweldig lekker brood, groenten, fruit, vlees en een keur aan kruiden.

Als er geen markt is haal ik mijn brood altijd bij Het Vlaamsche Broodhuys, op de Haarlemmerstraat, ook in Amsterdam. Dit is de winkel van Dimitri en Diante Roels (zie pagina 282).

Zij hebben fantastisch ambachtelijk brood en het is een feest om die winkel binnen te stappen want het ruikt er altijd zo heerlijk naar vers brood. Schuin tegenover Het Vlaamsche Broodhuys heeft Maarten van Caulil zijn delicatessenwinkel Caulils (www.caulils.nl). Ik ben gek op zijn in zout ingelegde ansjovisjes. Bovendien verkoopt hij de heerlijkste kazen die door mijn vriendin Betty Koster worden gerijpt. Betty is een bekende affineur en eigenares van Fromagerie l'Amuse in Santpoort Noord. Aan het begin van de Haarlemmerstraat, schuin tegenover het West-Indisch Huis, zit het winkeltje Meeuwig & Zn van Manfred Meeuwig, waar je de meest waanzinnige olijfolie uit het vat kunt kopen (www.meeuwig.nl). Ik ben vooral gek op zijn peperige olijfolie uit Apulië, die erg lekker is over salades. En voor bijzondere chocola en ijs ga ik bijvoorbeeld naar Jordino (www.jordino.nl). Voor vis en vlees ga ik naar de groothandelsmarkt aan de Jan van Galenstraat in Amsterdam.

De Haarlemmerstraat is voor mij echt een vaste plek waar ik boodschappen doe, maar de soort winkeltjes die ik noem zijn natuurlijk ook in andere steden te vinden. Vraag voordat je de eerste de beste supermarkt instapt eens om je heen of iemand nog speciale winkeltjes kent. Als ik al deze adressen in een keer langs moet, ben ik wel een dagje zoet. Maar dan wordt er 's avonds wel heel erg lekker gegeten!

Wijn met persoonlijkheid

Het is heel simpel: wijn hoort bij eten. En goeie wijnen, of ze nu uit Italië of Frankrijk komen, passen perfect bij de manier waarop ik kook. Wat voor mijn leveranciers van vis, groente, vlees en kaas geldt, gaat ook op voor mijn wijnleverancier: vakmanschap, visie en respect voor de natuur. De liefde voor de producten waarmee ze werken en voor de natuur is de drijvende kracht achter de kwaliteit die ze leveren.

Henk Struijs van De Wijnvriend (www.wijnvriend.nl) importeert en verkoopt 'natuurlijk gemaakte wijn'. Dat doet hij al bijna twintig jaar. In het begin als hobby, gewoon omdat hij het leuk vond. Maar ook omdat hij wijn zonder allerlei toevoegingen moeilijk kon krijgen in ons land.

Begin jaren negentig maakt Henk voor het eerst kennis met de wijnen van Jean Foillard uit Morgon, in de Beaujolaisstreek. Deze wijn smaakt volkomen anders dan hij gewend is: zuiver, zacht en opwekkend. Sindsdien weet hij: als je eenmaal voor dit soort wijn bent gevallen, verdraag je wijn uit de 'oude wijnwereld' niet meer, laat staan dat je er nog van kunt genieten.

De 'uitvinder' van natuurlijk gemaakte wijn is wijnhandelaar Jules Chauvet. Hij experimenteerde eind vorige eeuw veel met ongefilterde, ongeklaarde en ongezwavelde wijn en met het gebruik van eigen gisten. Eigen gisten bepalen het oorspronkelijke karakter van een wijn en verschillen per wijngaard. Deze manier van wijn maken brengt wel extra werk mee

voor de wijnmaker. Insecticiden mogen niet worden gebruikt en er moet zorgvuldig en hygiënisch worden gewerkt.

Begin jaren tachtig brachten vijf wijnboeren uit de Beaujolais Chauvets ideeën in praktijk. Hun doel was weer traditionele, natuurlijk gemaakte beaujolais te gaan produceren. Deze volgers van Chauvet zijn inmiddels 'De bende van vijf' gedoopt.

Voorop in deze zwavelloze bende loopt Marcel Lapierre, die de beweging bijna een cultstatus gaf. Door heel Frankrijk is inmiddels een netwerk van wijnboeren gegroeid die een simpele filosofie hanteren: zo weinig mogelijk ingrijpen in het natuurlijke proces van wijn maken. Niets erin, niets eruit. Zijn wijn is dan ook de lekkerste en meest karaktervolle van de streek. Zo ontstaat wijn die er misschien wat raar uitziet. Niet gefilterd, dus troebel, maar zacht en zuiver en een diepe, brede smaak. Je proeft het karakter van de bodem, het klimaat en de wijnboer. Het zijn wijnen met persoonlijkheid.

Groenten & Kruiden

Groenterecepten

Bij het maken van de lijst met recepten voor dit boek viel me pas voor het eerst op dat er zo veel groenterecepten instaan.

Maar er ook zijn zoveel manieren om onze schitterende Hollandse groenten te bereiden. Ik heb zelfs nog tientallen recepten moeten schrappen, omdat het anders een groentekookboek zou zijn geworden.

Als ik kook voor een lunch of een diner, koop ik altijd de mooiste groenten die ik kan krijgen. Dat zijn meestal biologische, want die hebben gewoon meer smaak. Het aanbod is natuurlijk wel afhankelijk van het seizoen, dat kun je op de markt heel goed zien. Die seizoensgroenten smaken het best als je ze simpel klaarmaakt. Bij Chez Panisse at ik bijvoorbeeld eens bij een voorgerecht heel fijn gesneden venkel, aangemaakt met een hele mooie olijfolie en wat citroensap. Meer heeft zo'n groente ook niet nodig; eenvoud smaakt toch het lekkerst.

Zoals ik het zie zijn groenten veel meer dan bijzaak. Het is juist hoofdzaak! Je kunt oneindig variëren met al die prachtige producten van Hollandse bodem. Denk tomaat, denk kool en denk boontjes! Varieer eens met verse kruiden en bereidingswijzen en je hebt een oneindige hoeveelheid manieren om groenten klaar te maken. Serveer eens boerenkool gestoofd met knoflook en rode peper en deze daarna gepureerd als crostini geserveerd met ansjovisreepjes (pagina 71)? En dit zijn nog maar een paar voorbeelden van de originele dingen die je kunt doen met groenten.

Rauw eekhoorntjesbrood met olijfolie,
oude-kaaskrullen en citroen is heel erg lekker.

Eekhoorntjesbrood met roerei

Eekhoorntjesbrood is naast de truffel een van de lekkerste en meest exclusieve paddestoelen die er te koop is. Het is een groot misverstand dat deze paddestoel alleen in Frankrijk en Italië voorkomt. Eekhoorntjesbrood wordt wel degelijk in Nederland gevonden, vooral in het oosten van het land. De paddestoelenboeren houden hun vindplekken goed geheim want hun broodwinning duurt maar een paar maanden per jaar. Op de biologische Noordermarkt in Amsterdam bijvoorbeeld, kun je in het seizoen hele mooie exemplaren kopen.

BEREIDEN

1. Was de paddestoelen snel één voor één met een beetje lauwwarm water. Houd het tempo er goed in om te voorkomen dat de paddestoelen zich volzuigen met water. Snijd de paddestoelen in plakken van gelijke dikte.
2. Verhit de grillpan. Bestrijk de plakken paddestoel met olie en gril ze aan beide kanten goudbruin. Leg de paddestoelen in een kom en voeg wat zout en peper toe.
3. Snijd het stokbrood in dunne sneetjes. Bestrijk het brood met wat olie en gril het in de grillpan aan beide kanten goudbruin en krokant.
4. Klop in een kom de eieren, het bieslook en de slagroom door elkaar. Voeg zout en peper naar smaak toe. Laat in een koekenpan met antiaanbaklaag de boter op een matig vuur smelten. Fruit de sjalot 5 minuten en zet het vuur laag. Voeg dan het eimengsel toe en roer dit met een houten spatel door tot het ei is gestold maar nog wel smeuïg is. Het perfecte roerei is zacht, lobbig en niet korrelig. Het beste resultaat krijg je als je het ei op een vrij laag vuur en onder voortdurend roeren bakt.
5. Verdeel de paddestoelen over vier voorverwarmde borden en schep het roerei ernaast. Strooi er de peterselie over. Dien het samen met het warme gegrilde brood op.

WIJNTIP

Drink er een enigszins kruidige witte wijn bij, zoals een pinot gris uit de Elzas of een Italiaanse pinot grigio.

LUNCHGERECHT
4 PERSONEN

400 gram eekhoorntjesbrood
2 eetlepels olijfolie
zout en versgemalen peper
½ stokbrood
4 eieren
1 eetlepel grofgesneden bieslook
1 eetlepel slagroom
50 gram roomboter
2 sjalotten, gesnipperd
2 eetlepels fijngehakte bladpeterselie

EXTRA NODIG
grillpan

Maak de salade een dag van tevoren
zodat de smaken mooi intrekken

Knolselderij-appelsalade

Deze frisse salade wordt hier samen met stevig notenbrood gegeten.
In de nazomer, als de eerste nieuwe appels er zijn, is dit gerecht op
zijn best.

BEREIDEN

1. Snijd de halve knolselderij in dunne plakken en vervolgens in luciferdunne
reepjes. Meng in een kom de knolselderij met het citroensap en wat zout en
peper. Laat de groente ongeveer 20 minuten marineren.

2. Snijd de appel in vier partjes. Verwijder het klokhuis en snijd de partjes
in dunne plakken en vervolgens julienne. Voeg de reepjes appel en mayonaise
aan de knolselderij toe en schep alles voorzichtig om.

3. Rooster de walnoten in een droge koekenpan goudbruin en hak ze in
grof.

4. Snijd het notenbrood in dunne sneetjes en bestrijk beide kanten van het
brood met wat olie. Verhit de grillpan en rooster het brood goudbruin en
krokant. Verdeel de knolselderijsalade over de sneetjes brood en strooi er
de walnoten over.

WIJNTIP

Serveer een glas lekkere cider of bourgogne aligote bij dit frisse gerecht.

LUNCHGERECHT
4 PERSONEN

½ knolselderij, geschild
sap van een halve citroen
zout en versgemalen peper
1 grote rode appel, ongeschild
5 eetlepels mayonaise
2 eetlepels walnoten
1 notenbrood
1 eetlepel olijfolie

EXTRA NODIG

grillpan

Als je aan dit recept nog wat **extra olijfolie** toevoegt, heb je een mooie walnotenpesto voor bij de spaghetti. Schep de pesto door beetgaar gekookte spaghetti. Meng er grof gesneden raapstelen door en rasp er wat verse parmezaanse kaas over.

Walnotendip met marjolein

Deze dip is eigenlijk een dikke Hollandse pesto met veel walnoten. Traditioneel worden pesto-achtige sausen in een vijzel fijngewreven, maar je kunt het natuurlijk ook met een keukenmachine maken.

BEREIDEN

1. Rooster de walnoten in een droge koekenpan goudbruin en krokant. Zet de noten even apart.

2. Stamp in een vijzel de knoflook met een beetje zeezout fijn. Voeg de walnoten, kaas en marjolein toe en wrijf alles fijn. Meng er geleidelijk de olijfolie door en roer het geheel tot een gladde, dikke saus. Voeg een mespunt chiliflakes en versgemalen peper naar smaak toe.

3. Snijd het stokbrood in schuine sneetjes. Bestrijk het brood met een beetje olie. Verhit de grillpan en rooster de sneetjes brood aan beide kanten goudbruin en krokant. Serveer ze met de notendip.

WIJNTIP

Serveer bij dit hapje een cremant uit de Bourgogne.

200 gram gepelde walnoten

2 teentjes knoflook, gepeld

zeezout

30 gram oude kaas, geraspt

2 eetlepels verse marjoleinblaadjes

1 dl olijfolie

mespunt chiliflakes

   (gedroogde rode-pepervlokken)

versgemalen peper

1 stokbrood

EXTRA NODIG

vijzel

Walters tuin

Vlak boven Amsterdam, in de Purmerpolder, verbouwt Walter Abma, tuinder voor restaurant De Kas, schitterende seizoensgroenten en kruiden.

Het is nog maar negen uur op een vroege ochtend in september als ik Walter kom opzoeken en er wordt al hard in de tuin gewerkt. De eigenaar van mijn favoriete Amsterdamse restaurant De Kas, Gert Jan Hageman, staat zijn dagelijkse bestelling verse groente en kruiden in te laden. Schitterende tomaten, venkel, jonge sla en kleine eetbare viooltjes schuift hij in zijn auto.

In de tuin groeit werkelijk van alles. Prachtige jonge venkel met grote bossen venkelgroen en gele venkelbloesem. Verder staan bramen, boterboontjes, struiken rozemarijn, tomaten, teveel om op te noemen. Ik proef zoveel mogelijk. Walter weet bij alles een verhaal te vertellen. Bijvoorbeeld dat er wel drieduizend tomatenrassen bestaan, variërend van enorme rode vleestomaten tot kleine gele en groene tomaatjes.

Op een andere locatie verbouwt Walter pompoenen, appels en peren. September betekent pompoenoogst en dus staat Walter met vijf man sterk te kloppen, te luisteren en te kijken. Die hulp kan Walter goed gebruiken want het is een zwaar karwei dat in een paar dagen moet worden afgerond; te laat geoogste pompoenen rotten snel.

Het bezoekje aan Walters tuin bewijst nog maar eens wat voor schitterende producten in Nederland worden verbouwd. En het enthousiasme van de mensen werkt aanstekelijk. Ze beschikken over zoveel kennis! Stel ze een vraag en ze kunnen je van alles vertellen. Je hoort de merkwaardigste dingen en komt bijna niet meer weg!

Tuinbonen, simpel en puur

Honger maakt rauwe bonen zoet. Mooie oude schapenkaas en goede olijfolie hebben hetzelfde effect. Dit borrelhapje van rauwe tuinbonen lijkt bijna saai, maar is ontzettend lekker. Gewoon een keer proberen! Je weet niet wat je proeft.

BEREIDEN

1. Dop de tuinbonen en leg ze op een mooi platte schaal. Schenk de olijfolie in een kommetje en maal wat zwarte peper in de olie. Verbrokkel de kaas en leg de kaas naast de tuinbonen.

2. Doop de rauwe tuinbonen in de olijfolie en eet ze samen met een stukje schapenkaas. Geef er geroosterd zuurdesembrood bij.

WIJNTIP

Een fijne droge rosé past heel goed bij dit zomerse hapje.

HAPJE
6 PERSONEN

1 kilo verse jonge tuinbonen (in de schil)
50 ml olijfolie extra vierge
versgemalen zwarte peper
250 gram oude boerenschapenkaas
zuurdesembrood, om erbij te serveren

Probeer dit recept ook eens met Turkse of Griekse yoghurt. Deze hebben een hoger vetgehalte, waardoor de soep nog voller van smaak wordt.

Gekoelde komkommersoep met dragon

Dit is een prima gerecht om te serveren op een zwoele zomeravond. Deze soep is in een handomdraai gemaakt, waardoor je extra lang van een avond buiten kunt genieten. Lekker fris, koel en licht, maar boordevol smaak.

BEREIDEN

1. Snijd de komkommers over de lengte doormidden en ris er met een dessertlepel de zaadlijsten uit. Pluk de dragonblaadjes van de takjes.

2. Pureer de komkommer en sjalotten samen met de dragon in een keukenmachine. Voeg olie, azijn en yoghurt toe. Breng de soep op smaak met zout en peper.

3. Schep de soep in vier gekoelde borden en verdeel de Hollandse garnalen over de soep.

1 ½ komkommer

15 gram verse dragonblaadjes

2 kleine sjalotten, in stukken gesneden

2 eetlepels olijfolie extra vierge

1 eetlepel witte-wijnazijn

1,5 dl volle yoghurt

zout en versgemalen peper

100 gram Hollandse garnalen

EXTRA NODIG

keukenmachine

Gekookte asperges met mimosadressing

Dit makkelijke en lekkere gerecht kun je prima serveren als voorgerecht in een aspergemenu. De aspergetijd duurt maar kort dus maak er gebruik van. Als je zo halverwege juni geen asperge meer kunt zien, dan weet je weet zeker dat je de aspergetijd volledig hebt benut.

1 kilo Hollandse asperges (AA kwaliteit)

6 kleine scharreleieren

4 bosuitjes, in dunne ringen

2 eetlepels witte-wijnazijn

6 eetlepels olijfolie extra vierge

zout en versgemalen peper

4 eetlepels fijngehakte bladpeterselie

BEREIDEN

1. Schil de asperges met een dunschiller van vlak onder het kopje naar beneden toe. Snijd de houtachtige uiteinden er vanaf (ongeveer 2 centimeter). Kook de asperges in een aspergepan of grote pan met water en wat zout in ongeveer 20 minuten gaar. Test of ze gaar zijn door er 1 asperge met een keukentang uit te nemen en in het midden vast te houden: buigt hij licht door dan is de groente gaar. Laat de asperges in het vocht afkoelen.

2. Kook intussen de eieren 6 minuten. Schep in een kommetje de bosuitjes door de azijn en laat ze 5 minuten marineren. Roer de olie erdoor en voeg naar smaak zout en peper toe.

3. Laat de eieren onder koud stromend water schrikken. Pel ze en hak ze in grove stukjes. Roer het ei en de peterselie door de dressing.

4. Neem de asperges uit de pan en laat ze uitlekken. Leg ze op een grote schaal en schep er de dressing over.

WIJNTIP

Asperges smaken over het algemeen het lekkerst met witte wijn uit de Elzas. Voor dit voorgerecht zou ik een frisse pinot blanc kiezen.

Hollandse kropsla
met tuinbonen en muntolie

Hoe kun je met een gewone Hollandse kropsla een heel apart en lekker gerecht maken? Door de krop in mooie parten te snijden en ze met jonge tuinboontjes en frisse pittige muntolie op te dienen. Hoe meer bladeren je van de buitenzijde van de sla verwijdert, hoe eleganter dit gerecht eruitziet.

BEREIDEN

1. Dop de tuinbonen. Kook de boontjes 2 minuten in een pan met water en wat zout. Giet de bonen af en spoel ze onder ijskoud stromend water om het garingsproces te stoppen.

2. Verwijder de buitenste bladeren van de sla en snijd de krop in 4 parten. Was de partjes en leg ze 15 minuten in een kom met ijskoud water (bij voorkeur ijswater). Draai de sla vlak voor gebruik droog in een sladroger of slinger de sla hard in een schone theedoek rond tot hij droog is.

3. Pluk de blaadjes munt van de takjes en stamp ze in de vijzel met een beetje zeezout en de knoflook tot een gladde groene puree. Schenk beetje bij beetje de olie erbij en voeg naar smaak citroensap, zout en peper toe.

4. Verdeel de parten sla over vier borden, schep de tuinbonen erbij en druppel er de muntolie over. Schaaf er eventueel met een dunschiller nog wat oude schapenkaas over.

WIJNTIP

Dit is een gerecht met zachte smaken, waarbij je dus het beste een zachte witte wijn kunt drinken. Of probeer er een cider (appel of peer) uit Bretagne of Normandië bij.

YOLANDA'S KOOKTRUC

Dop voor een extra verfijnd resultaat de tuinbonen twee keer (dubbel doppen). Haal de boontjes uit de peul en kook ze. Verwijder na het koken het stugge buitenste vliesje en er verschijnen mooie, zachte groene boontjes. Het kost even wat tijd, maar het is de moeite waard.

VOORGERECHT
4 PERSONEN

1 kilo jonge tuinbonen in de schil
1 Hollandse kropsla
½ bosje munt
zeezout
1 teentje verse knoflook, fijngehakt
1 dl olijfolie extra vierge
citroensap, naar smaak
versgemalen peper

EXTRA NODIG
vijzel

Lekker met boven houtskool gegrilde kwartelboutjes

Posteleinsalade met hazelnoten

Met postelein kun je naast stamppotten ook heerlijke salades maken. Winterpostelein is iets minder zuur dan zomerpostelein en daarom heel geschikt om rauw en onverwarmd te eten. Heel origineel, super van smaak en bovendien een licht voorgerecht om een menu mee te starten.

VOORGERECHT
4 PERSONEN

200 gram winterpostelein
6 eetlepels hazelnoten
½ rode ui, gesnipperd
1 eetlepel rode-wijnazijn
1 eetlepel hazelnootolie
2 eetlepels olijfolie extra vierge
zout en versgemalen peper

EXTRA NODIG
sladroger

BEREIDEN

1. Snijd de worteltjes van de postelein af. Was de groente in ruim koud water; net zo lang tot al het zand is verwijderd. Droog de groente in een sladroger. Rooster de hazelnoten in een droge koekenpan goudbruin en krokant. Haal ze uit de pan en hak de helft van de noten fijn.

2. Roer in een kommetje de ui en azijn door elkaar en laat de ui 5 minuten marineren. Voeg vervolgens de hazelnoot- en olijfolie en fijngehakte hazelnoten toe. Breng de dressing op smaak met zout en peper.

3. Meng in een kom de postelein met de dressing. Verdeel de salade over vier diepe borden en strooi de hele hazelnoten erover.

WIJNTIP

Kies een halfdroge (demi-sec) bubbeltjeswijn, bijvoorbeeld een clairette de die of een cremant uit de Elzas.

Aspergesoep
met Stellendamse garnalen

Deze aspergesoep past perfect in een zomers (asperge)menu. Door de soep op het laatste moment stevig te mixen met een staafmixer, in de kommen scheppen en er een toef half geslagen room op te leggen, maak je een heel culinaire 'cappuccino van asperges'.

BEREIDEN

1. Schil de asperges met een dunschiller van vlak onder het kopje naar beneden toe. Snijd de houtachtige uiteinden er vanaf (ongeveer 2 centimeter).

2. Snijd de asperges in kleine stukjes van ongeveer 3 centimeter; leg de topjes even apart. Kook de aspergestukjes in 1 liter water met wat zout in 20-25 minuten gaar. Kook in een apart pannetje met wat water en zout de asperge-toppen in 5 minuten gaar. Giet de aspergetopjes af en schep ze op een bord.

3. Meng in een kommetje de aspergetopjes met de garnalen, peterselie, olie en het citroenrasp. Laat het mengsel even marineren.

4. Pureer met een staafmixer de asperges met het kookvocht. Wrijf de asperges met vocht boven een andere pan met een pollepel door een zeef. Voeg de slagroom toe en breng het geheel zachtjes aan de kook. Voeg naar smaak zout en peper toe.

5. Schep in vier diepe borden een bergje van het garnalenmengsel. Schenk de soep in een grote voorverwarmde soepterrine. Schep de soep aan tafel in de borden.

WIJNTIP

Bij dit tussengerecht kun je zowel een mooie rijpe pinot gris of riesling uit de Elzas als een lekkere witte bourgogne drinken. De Elzassers passen goed bij de uitgesproken smaak van asperges, terwijl de bourgogne het romige karakter van de soep accentueert.

TUSSENGERECHT
4 PERSONEN

1 kilo Hollandse asperges (AA kwaliteit)
150 gram gepelde Stellendamse of Hollandse garnalen
4 eetlepels fijngehakte bladpeterselie
1 eetlepel olijfolie extra vierge
1 theelepel citroenrasp
2 dl slagroom
zout en versgemalen peper

EXTRA NODIG

staafmixer
zeef
soepterrine

Strooi er op het laatste moment eventueel nog reepjes gerookte paling over.

Zomerse doperwtensoep met knoflooktoast

Deze erwtensoep lijkt in niets op de bekende Hollandse erwtensoep ofwel snert. Door de doperwten is de soep licht, enigszins zoetig en heel zomers. Het is dus een uitstekend tussengerecht in een licht en zonnig menu, maar je kunt het ook goed als lunch opdienen.

VOORBEREIDEN

1. Maak eerst de kippenbouillon. Zet de kippenbouten of -karkassen op met 2,5 liter water. Breng het water aan de kook en schuim het met een schuimspaan af. Zet het vuur laag en voeg de rest van de ingrediënten toe. Laat de bouillon 2-3 uur zonder deksel trekken. Schenk de bouillon boven een kom door een fijne zeef (voor een fijnere bouillon leg je nog een theedoek in de zeef). Houd 1 liter bouillon apart voor de soep en vries de rest in.

BEREIDEN

1. Verhit in een grote (soep)pan 2 eetlepels boter. Voeg de bosuitjes toe en fruit ze 5 minuten op een laag vuur, laat ze niet kleuren. Voeg dan de doperwten en bouillon toe. Laat het geheel op een laag vuur ongeveer 30 minuten zacht koken tot de erwten gaar zijn.

2. Maak intussen de knoflookpuree voor op de broodjes. Pel alle teentjes knoflook. Laat in een steelpannetje 2 eetlepels boter smelten. Voeg de teentjes knoflook, de hele blaadjes salie en een klein scheutje water toe. Leg een deksel op de pan en stoof de teentjes in 20-30 minuten op een laag vuur gaar. Haal de pan van het vuur en prak de knoflook met een vork tot een puree. Voeg naar smaak zout en versgemalen zwarte peper toe.

3. Schep met een schuimspaan ongeveer ¾ van de erwten uit de bouillon. Schep ze in een keukenmachine en pureer ze met behulp van de pulsknop tot een grove puree. Roer de puree weer door de soep en laat de soep nog enkele minuten zachtjes heet worden. Voeg naar smaak zout en peper toe.

4. Verhit de grillpan. Snijd het stokbrood in schuine sneetjes. Bestrijk de sneetjes met olijfolie en gril ze aan beide kanten goudbruin. Besmeer ze met de knoflookpuree. Schenk de soep in vier voorverwarmde kommen en schep in elke kom soep een lepel crème fraîche. Dien de knoflooktoast erbij op.

TUSSENGERECHT
4 PERSONEN

KIPPENBOUILLON
2 kippenbouten of 1,5 kg kipkarkassen
1 wortel, fijngesneden
1 ui, gesnipperd
1 dunne stengel prei, in ringen
3 stengels bleekselderij, in kleine stukjes
1 laurierblaadje
2 teentjes knoflook, fijngehakt
5 takjes tijm
10 peperkorrels

VOOR DE SOEP EN DE KNOFLOOKTOAST
4 eetlepels roomboter
6 bosuitjes, fijngesneden
1 kilo verse doperwten
1 liter kippenbouillon
1 grote bol verse knoflook
5 blaadjes salie
zout en versgemalen zwarte peper
50 ml crème fraîche
1 stokbrood

EXTRA NODIG
zeef, grillpan
keukenmachine

Spaghetti met posteleinpesto

Dit gerecht is verrassend lekker. De postelein is heel fris en de combinatie met de oude kaas is geweldig. Tijdens de fotografie voor dit boek wilde iedereen het gerecht graag proeven. Posteleinpesto is een originele variant op de bekende pesto met basilicum.

BEREIDEN

1. Snijd de worteltjes van de postelein af. Was de groente in ruim koud water; net zolang tot al het zand is verwijderd. Droog de postelein in een sladroger.

2. Rooster de walnoten in een droge koekenpan goudbruin en krokant. Rasp boven een kommetje ongeveer 2 eetlepels van het stuk kaas af.

3. Houd een handje postelein achter voor de garnering; pureer in de keukenmachine de rest van de groente samen met de walnoten, geraspte kaas, knoflook en olijfolie tot een mooie dikke, saus.

4. Kook de spaghetti volgens de gebruiksaanwijzing beetgaar. Giet de spaghetti af. Roer de pesto en de rest van de postelein door de warme spaghetti. Verdeel de spaghetti over vier voorverwarmde diepe borden. Maak met een dunschiller enkele kaaskrullen van de rest van het stukje kaas en strooi die over de pasta.

WIJNTIP

Dit gerecht verdient een stevige rode wijn, een coteaux de languedoc bijvoorbeeld.

TUSSENGERECHT
4 PERSONEN

250 gram winterpostelein
50 gram walnoten
een stukje oude kaas van 150 gram
2 teentjes knoflook, gepeld
1 dl olijfolie extra vierge
200 gram spaghetti

EXTRA NODIG
sladroger
rasp
keukenmachine

Ga op zoek naar sappige maïskolven.
Kijk voor het kopen onder de groene bladeren.

Aardappelgratin met maïs en pompoen

Dit herfstgerecht smaakt het lekkerst wanneer de eerste maïskolven en pompoenen van het land komen.

BEREIDEN

1. Verwarm de oven voor op 210 °C. Meng in een kom de slagroom met de melk en tijm. Voeg zout en peper naar smaak toe.

2. Schil de aardappels en snijd ze in plakjes van ongeveer ½ cm dik. Schil de pompoen, verwijder de pitten en snijd de pompoen ook in plakjes van ongeveer ½ cm dik. Zet de maïskolf rechtop op een snijplank en snijd met een mes van boven naar beneden de korrels er vanaf.

3. Leg de helft van de aardappelplakjes in een ovenschaal. Strooi er een beetje zout en peper over. Verdeel er de helft van de maïskorrels over en leg er de helft van de pompoenplakjes op. Strooi er weer een beetje zout en peper over. Herhaal deze handelingen met de rest van de aardappel, maïs en pompoen.

4. Schenk het roommengsel erover en dek de schaal met aluminiumfolie af. Bak het gerecht in het midden van de oven in ongeveer 40 minuten gaar. Controleer of de aardappels gaar zijn door er met een aardappelschilmesje in te prikken.

5. Zet de ovengrill aan. Verwijder het aluminiumfolie en rooster de gratin ongeveer 10 centimeter onder de grill in enkele minuten goudbruin. Houd het gerecht nu goed in de gaten, want onder de hete grill kan het snel verbranden.

WIJNTIP

Een witte wijn uit de Elzas zoals een tokay pinot gris past goed bij de zoete smaken van dit bijgerecht.

200 ml slagroom

200 ml volle melk

1 eetlepel verse tijm

zout en versgemalen peper

300 gram vastkokende aardappels

een stuk pompoen van ongeveer 300 gram

1 maïskolf

EXTRA NODIG

kleine ovenschaal

aluminiumfolie

Bewaartip Leg een paar lagen plasticfolie op het aanrecht. Schep de boter erop, rol het geheel strak als een worst op. De boter is in de vriezer maximaal 4 weken houdbaar. Je kunt er nu ook mooie plakjes van snijden.

Boter met Oost-Indische kers

De bloemen van de Oost-Indische kers zien er niet alleen prachtig uit, ze smaken ook nog eens heel bijzonder. Bestrijk een stukje gegrilde vis met deze boter of meng hem door gekookte aardappeltjes. In een salade zijn de bloemen van de Oost-Indische kers trouwens ook erg mooi.

BEREIDEN

1. Pel de sjalotten en snipper ze heel fijn. Roer in een kom de boter, de sjalot en het citroensap goed door elkaar.

2. Hak de bloemen in grove stukken. Halveer de bladeren en snijd ze in dunne sliertjes. Roer bloemen en blaadjes door de boter. Voeg naar smaak zout en peper toe.

TIP

Pakketje met zalm en boter met Oost-Indische kers

Schep op een groot stuk aluminiumfolie een paar eetlepels gestoofde prei. Leg hier stukjes zalm van ongeveer 120 gram op. Strooi er zout en peper over en schep er 1 eetlepel boter met Oost-Indische kers op. Schenk er een scheutje witte wijn over. Vouw het pakketje goed dicht, maar wikkel de vis niet te strak in de folie, want de stoom moet kunnen circuleren. Bak het pakketje in een oven van 180 °C in ongeveer 10 minuten gaar.

BIJGERECHT
4 PERSONEN

2 sjalotten
150 gram roomboter, op kamertemperatuur
sap van $\frac{1}{2}$ citroen
10 bloemen van de Oost-Indische kers
4 bladeren van de Oost-Indische kers
zout en versgemalen peper

Courgettekoekjes met oude kaas

Deze courgettekoekjes zijn heerlijk bij geroosterde kip. Als klein borrelhapje met een plakje gedroogde ham doen ze het ook erg goed.
Bakken en direct opdienen!

BEREIDEN

1. Rasp de courgette met een grove rasp in zo lang mogelijke slierten.
2. Roer in een kom alle ingrediënten, behalve de olie, goed door elkaar.
Voeg naar smaak zout en peper toe.
3. Verhit in een koekenpan een beetje van de olie. Schep met een grote
lepel enkele hoopjes van het courgettemengsel op enige afstand van elkaar
in de pan en druk ze met een vork een beetje platter. Bak de koekjes aan
beide kanten goudbruin. Schep ze met een spatel uit de pan en laat ze op
keukenpapier uitlekken. Maak de pan schoon, verhit opnieuw een beetje olie
en bak op dezelfde wijze nog enkele koekjes. Ga zo door tot alle koekjes
gebakken zijn. Houd de koekjes warm onder een beetje aluminiumfolie of in
de oven en serveer ze direct.

1 courgette

1 ei

50 gram geraspte oude boerenkaas

1 eetlepel bloem

2 eetlepels verse marjolein

2 eetlepels olijfolie

zout en versgemalen peper

EXTRA NODIG

grove blokrasp

keukenpapier

aluminiumfolie

WIJNTIP

Schenk een eenvoudige, lichte rode of fruitige witte wijn bij deze koekjes en
je weet weer dat geluk in de kleine dingen zit.

Spitskool met appel en komijn

BIJGERECHT
4 PERSONEN

1 spitskool
2 appels
2 eetlepels roomboter
1 eetlepel komijnzaad
zout en versgemalen peper

De combinatie van kool, appel en komijn is erg verrassend. Het is een echt stevig bijgerecht dat heel goed bij gevogelte, wild of varkensvlees past.

BEREIDEN

1. Snijd de spitskool in vier parten, verwijder het hart en snijd de parten over de lengte in brede repen. Schil de appels, verwijder de klokhuizen en snijd de appels elk in 8 partjes.

2. Verhit in een ruime koekenpan de boter en bak de spitskool 5 minuten. Roer de appel en komijn erdoor en voeg naar smaak zout en peper toe.

3. Stoof de groente op laag vuur in 20 minuten gaar. Schep het gerecht in een schaal en dien het op. Lekker bij wild, gevogelte of varkensvlees.

Gebakken spruitjes met aardappel

Als je dit gerecht met aardappels en spruitjes in ganzenvet bakt, wordt de smaak extra bijzonder. Maar een lekkere olijfolie is natuurlijk ook prima. Bak de spruitjes mooi bruin. De suikers in de spruitjes krijgen dan de kans om te karameliseren en daar worden ze heerlijk zoet van.

BEREIDEN

1. Maak de spruitjes schoon. Schil de aardappels en snijd ze in stukjes die ongeveer net zo groot als de spruiten zijn.

2. Breng een pan met water en wat zout aan de kook. Voeg de aardappels en spruitjes toe en kook ze ongeveer 5 minuten tot ze beetgaar zijn. Giet de aardappels en spruitjes af.

3. Verhit in een koekenpan de olie of het vet en bak de aardappels en spruiten in 10-12 minuten goudbruin op een middelhoog vuur. Voeg zout en chiliflakes naar smaak toe. Lekker bij rood vlees, wild of gevogelte.

WIJNTIP

Kies een wijn die het beste past bij het vlees waarbij je de spruiten serveert. Voor gevogelte is dat bijvoorbeeld een lekkere beaujolais of bourgogne, bij wild past een stevige wijn uit de Rhône of Bordeaux.

BIJGERECHT
4 PERSONEN

400 gram kleine spruitjes
400 gram vastkokende aardappels
2 eetlepels olijfolie of ganzenvet
mespunt rode chiliflakes
  (gedroogde chilipeper)

Brokkel wat blauwaderkaas over dit gerecht
en serveer het als een voorgerecht.

Gegrilde witlof
met spekjesvinaigrette

Bitter, zout en zuur. In dit gerecht komt deze heerlijke combinatie van smaken heel goed naar voren. Het grillen van de witlof geeft dit gerecht een heel spannende smaak. Eet deze witlof bij gegrilde vis of een mooi stukje varkensvlees.

BEREIDEN

1. Verhit de grillpan. Leg de plakjes spek erop en gril het vlees aan beide kanten goudbruin en krokant. Snijd het spek in dunne reepjes.

2. Roer in een kommetje de sjalot met de azijn en wat zout en peper door elkaar. Laat de sjalot ongeveer 5 minuten marineren. Roer er vervolgens de spekjes en olie door.

3. Snijd 1 centimeter van de onderkanten van de stronkjes witlof af. Snijd de stronkjes over de lengte doormidden. Verhit de grillpan weer. Bestrijk het witlof met wat olie en gril de groente aan beide kanten in ongeveer 10 minuten goudbruin en krokant.

4. Schep in een kom het witlof met de spekjesdressing en peterselie door elkaar.

WIJNTIP

Witlof vraagt om een wijn die ook een lichte bittere toon heeft. Dien je het gerecht bijvoorbeeld met gegrilde vis op, dan is een Vernaccia di San Gimignano, een fruitige Italiaanse witte wijn met een kleine bittere toets, een mooie keuze. Bij een vleesgerecht past een lekkere cheverny uit de Loire heel goed.

BIJGERECHT
4 PERSONEN

75 gram ontbijtspek, in plakjes
1 sjalot, gesnipperd
1 eetlepel balsamico-azijn
zout en versgemalen peper
4 eetlepels olijfolie extra vierge
500 gram witlof
2 eetlepels fijngehakte bladpeterselie

EXTRA NODIG
grillpan

Geroosterde aardpeertjes

Serveer deze heerlijke aardpeertjes als bijgerecht bij een lekker stuk vlees. Bijvoorbeeld de ossenhaasrol met tuinkruiden (zie pagina 217) of de gestoofde ossenstaart van de Lindenhoff (zie pagina 195).

1. Verwarm de oven voor op 200 °C. Was de aardperen en snijd grote exemplaren doormidden. Meng in een ovenschaal alle ingrediënten goed.
2. Rooster de aardperen 20-25 minuten in de oven tot ze gaar zijn.

BIJGERECHT
4 PERSONEN

750 gram aardperen
2 eetlepels olijfolie
0,5 theelepel chiliflakes
  (of gedroogde rode peper)
zeezout naar smaak

EXTRA NODIG
ovenschaal

Geroosterde asperges met tijm

Dit gerecht past goed bij gebakken zalm. Het is snel klaar en door de toevoeging van tijm erg lekker. Je kunt de asperges ook als voorgerecht met een gepocheerd ei en enkele kaaskrullen opdienen. In tegenstelling tot witte asperges hoef je groene asperges niet te schillen.

BEREIDEN

1. Verwarm de oven voor op 220 °C. Snijd de houtachtige onderkant van de asperges af (ongeveer 2 centimeter).
2. Leg de asperges naast elkaar op een bakplaat. Schenk de olie erover, strooi de tijmblaadjes erover en voeg naar smaak zout en peper toe. Schep alles goed om en plaats de bakplaat in het midden van de oven.
3. Rooster de asperges in 15-20 minuten goudbruin en gaar.

BIJGERECHT
4 PERSONEN

500 gram groene asperges
3 eetlepels olijfolie
2 eetlepels verse tijmblaadjes
zout en versgemalen peper

Asperges, het witte goud

Het echte aspergeseizoen is een van de kortste 'seizoenen' die ik ken, namelijk maar acht tot tien weken. Het begin van het aspergeseizoen is helemaal afhankelijk van het weer. Is het warm in het voorjaar dan koop je soms al in april asperges van mooie AA-kwaliteit, tegen een redelijke prijs.

De laatste dag dat asperges traditioneel voor het laatst kunnen worden gestoken is tijdens midzomer op 24 juni, met Sint Jan. Na die dag worden de planten met rust gelaten omdat de asperges voldoende tijd moeten hebben om te groeien voor het volgende jaar.

Doordat asperges er maar zo kort zijn en de oogst arbeidsintensief is, zijn ze meestal niet goedkoop. Dat verklaart ook hun bijnaam: het witte goud. Vooral de eerste asperges worden door toprestaurants gekocht. Deze primeurs van de koude grond zijn dan nog heel schaars en dus duur. Zodra de zon echt doorzet, schieten de asperges de grond uit en daalt de prijs snel - en zijn dan dus minder exclusief.

Als het april is en ik al zo lang geen Hollandse asperges heb geproefd, kan ik bijna niet wachten om ze te bereiden. Bij asperges wordt traditioneel witte wijn uit de Elzas gedronken. Elzasser wijnen kunnen een compleet aspergemenu begeleiden. Je kunt bijvoorbeeld beginnen met een lichte pinot blanc, gevolgd door een droge muscat om bij het hoofdgerecht een wat rijkere riesling te schenken. Er is zelfs dessertwijn uit de Elzas. Kies dan een wijn van laat geplukte druiven, die heeft een hoger suikergehalte en is dus zoeter.

Als je in de aspergemaanden april, mei en juni in Limburg bent moet je zeker ergens een aspergemenu nemen. De klassieke manier om zo'n menu af te sluiten is met een aardbeiendessert. De eerste Hollandse aardbeien zijn vaak in de aspergetijd verkrijgbaar. Eerst asperges en dan aardbeien: veel beter kun je de zomer niet proeven.

Zo'n aspergemenu kun je heel makkelijk zelf maken. Begin met de asperges met mimosadressing van pagina 33, serveer daarna de aspergesoep met gemarineerde asperges en Stellendamse garnaaltjes van pagina 39. Als hoofdgerecht maak je de lamskoteletten met geroerbakte asperges van pagina 215 en je sluit af met de roodfruitgelei met sinaasappelroom van pagina 271. Schenk er de wijnen bij die ik eerder al noemde en het is feest aan tafel!

Als het april is en ik al zo lang geen Hollandse asperges
heb geproefd, kan ik bijna niet wachten om ze te bereiden.

De kracht van biologisch

De biologische productie van groente, fruit en ook vlees begint eindelijk zijn geitenwollen sokken-imago kwijt te raken.

In de jaren zeventig waren het de voorstanders van natuurlijk voedsel die de voordelen van biologisch produceren fanatiek omarmden. Of zij nu een positieve of juist negatieve invloed op de waardering van die producten hebben gehad is de vraag. De voorvechters van biologisch voedsel waren vaak starre idealisten die bovendien vegetarisch of zelfs veganistisch waren - niet direct culinaire stromingen die aansloegen bij een groot publiek.

Sinds die tijd is veel veranderd. Tegenwoordig zijn zelfs bij de grote supermarktketens biologische melk, groente en vlees verkrijgbaar. Ik kan het alleen maar toejuichen.

Voor mij zijn er twee belangrijke redenen om voor biologisch te kiezen. Allereerst smaken de producten vaak lekkerder.

Een tomaat die niet of nauwelijks wordt beïnvloed door bijvoorbeeld kunstmatig licht ontwikkelt zich in een natuurlijk tempo. Deze evenwichtige groei onder natuurlijke omstandigheden zorgt voor een betere smaak. Een tweede reden is duurzaamheid en bewust leven. We zijn met ons allen al zo druk bezig de natuurlijke bronnen van onze aarde uit te putten, dat het geen kwaad kan duurzaamheid en natuurlijke productie mee te laten wegen in ons eetpatroon.

Ik kook erg graag met biologische producten. Ze zijn niet altijd even makkelijk verkrijgbaar en lang niet altijd in de kwaliteit die ik voor ogen heb. Bij gebrek aan een goed biologisch product kies ik een alternatief dat die gewenste kwaliteit wel heeft. Biologisch is dus geen harde eis maar wel een belangrijke wens!

Geroosterde sjalotten met zeezout

Doordat je de sjalotten karameliseert worden ze nog zoeter dan ze al zijn en krijgen ze een lekkere krokante buitenkant waar je ze zo uit kunt lepelen. Deze sjalotten smaken erg lekker bij de Texels lamsbout met rozemarijn van pagina 219 of bij het boven houtskool geroosterde runderribstuk van pagina 188.

BIJGERECHT

4 PERSONEN

12 sjalotten
3 eetlepels olijfolie
2 eetlepels grof zeezout

BEREIDEN

1. Verwarm de oven voor op 220 °C. Pel de sjalotten niet, maar snijd ze over de lengte doormidden. Leg de sjalotten met de bolle kant naar boven naast elkaar op een bakplaat. Sprenkel er de olie over en strooi er het zeezout over.

2. Plaats de sjalotten in het midden van de oven en rooster ze in 15-20 minuten goudbruin en gaar. Lepel de sjalotten op je bord uit hun schilletje.

Geroosterde hutspot met witte bonen

Toen er nog geen aardappels waren, werd hutspot bereid met pastinaak en witte bonen. Ik heb er deze geroosterde versie van gemaakt, omdat ik het lekkerder vind dan gekookte 'natte hutspot'. Het smaakt goed met een rookworst en grove mosterd, maar ook bij gegrilde zalm of gevogelte past deze hutspot uitstekend.

VOORBEREIDEN

1. Laat de gedroogde bonen minimaal 12 uur in ruim koud water weken.

BEREIDEN

1. Verwarm de oven voor op 200 °C. Kook in een pan met ruim water de bonen samen met de bleekselderij en knoflook in ongeveer 45 minuten gaar.

2. Schrap intussen de peentjes en schil de pastinaken met een dunschiller. Snijd eventuele dikke peentjes over de lengte doormidden. Snijd de pastinaken in ongeveer even grote stukken als de bospeen. Pel de uien, snijd ze door de helft en snijd elke helft vervolgens in 3 partjes.

3. Leg de pastinaak, wortel en ui op een bakplaat en strooi er wat zout en peper over. Sprenkel er de olie over, voeg de tijm toe en schep alles goed om. Verdeel de groenten gelijkmatig over de bakplaat en rooster ze in het midden van de oven in ongeveer 30 minuten goudbruin en gaar. Schep het geheel tussentijds voorzichtig om.

4. Proef een boon om er zeker van te zijn dat deze wegsmelt in je mond en geen korrelige structuur heeft. Giet de bonen af als ze volledig gaar zijn en verwijder de bleekselderij. Stamp met een pureestamper de bonen met de knoflook tot een grove puree. Voeg zout en peper naar smaak toe en roer de boter erdoor.

5. Schep de bonenpuree op een grote platte schaal en schep de geroosterde groenten ernaast.

WIJNTIP

Laat je wijnkeuze afhangen van het stukje vlees of vis dat je erbij serveert. Een boerse licht gekoelde rode gamay uit de Auvergne of Anjou.

BIJGERECHT
4 PERSONEN

250 gram gedroogde witte bonen
1 stengel bleekselderij, in stukken
2 tenen knoflook, gepeld
1 bos bospeen
2 pastinaken
4 rode uien
zout en versgemalen peper
3 eetlepels olijfolie
5 takjes tijm
2 eetlepels roomboter
zout en versgemalen peper

EXTRA NODIG
pureestamper

Gestoofde boerenkool

Meestal verdwijnt boerenkool in de stamppot, maar hier worden de hele bladeren gestoofd. Het is echt de moeite waard om te wachten tot de vorst over de boerenkool heen is geweest, aangezien dit de smaak van de boerenkool ten goede komt. Bij zowel gevogelte als vlees is dit een lekker bijgerecht.

BEREIDEN

1. Breng een grote pan met ruim water en wat zout aan de kook. Maak intussen de boerenkool schoon door met je handen de bladeren van de takken te rissen. Was de boerenkool goed. Leg de bladeren in de pan met kokend water en kook ze ongeveer 5 minuten. Giet de boerenkool af en schep de groente op een groot bord.

2. Verhit in een ruime koekenpan de olie en fruit de ui, knoflook en rode peper ongeveer 5 minuten. Voeg vervolgens de boerenkoolbladeren toe. Schep alles goed om en stoof de groente nog ongeveer 10 minuten. Breng het gerecht met zout en peper op smaak.

WIJNTIP

Serveer hier een lekker glas lichte rode gamay bij.

BIJGERECHT
4 PERSONEN

1 struik boerenkool
of 1 kilo boerenkoolbladeren
1 eetlepel olijfolie
1 ui, fijngesneden
1 teentje knoflook, in dunne plakjes
$\frac{1}{2}$ rode peper, fijngesneden
zout en versgemalen peper

Crostini met boerenkool en ansjovis

Crostini met boerenkool en ansjovis

Heb je nog gestoofde boerenkool over, maak er dan deze verrassende borrelhapjes mee.

1. Snijd een stokbrood in dunne sneetjes. Bestrijk ze met olie en rooster ze in de grillpan aan beide kanten goudgeel en krokant. Wrijf het warme gegrilde brood in met knoflook.

2. Pureer in een keukenmachine de boerenkool met een scheutje water.

3. Verdeel de boerenkoolpuree over de sneetjes brood en leg er enkele dunne reepjes ansjovisfilet op.

gestoofde boerenkool

1 stokbrood

2 eetlepels olijfolie

1 teentje knoflook

10 ansjovisfilets

Gestoofde prei met anijszaadjes

Deze gestoofde prei is door het anijszaad niet alledaags van smaak. De romige anijssaus past goed bij gebakken en gegrilde vis.

BEREIDEN

1. Snijd de prei in stukken van ongeveer 3 centimeter. Was de groente in ruim water tot al het zand eruit is.

2. Leg de prei direct vanuit het water in een pan met dikke bodem en voeg de crème fraîche en de anijszaadjes toe. Breng het geheel al roerend aan de kook. Draai het vuur laag en stoof de groente in ongeveer 30 minuten afgedekt gaar. Voeg zout en peper naar smaak toe.

WIJNTIP

Een lekkere kruidige witte wijn past heel goed bij dit volle gerecht, bijvoorbeeld een witte wijn uit de Rhône.

500 gram prei

4 eetlepels crème fraîche

1 theelepel anijszaad

zout en versgemalen peper

Om er een Hollandse twist aan te geven wordt hier
bloemkool in room met spek klaar gemaakt.

Hele bloemkool
met spek en room

Dit is een variant op een gerecht dat we vaak bij de River Café maakten. Daar stoofden we een romanesco bloemkool (een groene bloemkool die wat weg heeft van broccoli) in tomatensaus met ansjovis gaar.

BIJGERECHT
4 PERSONEN

2 rode uien
1 eetlepel boter
4 teentjes knoflook
200 ml slagroom
1 kleine bloemkool
10 plakjes ontbijtspek
zout en versgemalen peper

BEREIDEN

1. Pel de uien, halveer ze en snijd ze in dunne plakjes. Verhit de boter in een ruime pan waar straks ook de bloemkool in past. Fruit de ui en knoflook ongeveer 5 minuten op een matig vuur.

2. Schenk de room bij de ui en knoflook in de pan en leg er de bloemkool in. Strooi wat zout en peper over de bloemkool en leg de plakjes spek er mooi bovenop.

3. Stoof de bloemkool afhankelijk van de grootte in 20-30 minuten zachtjes afgedekt gaar (een kleine bloemkool is ongeveer in 20 minuten gaar; een flinke bloemkool mag rustig 30 minuten of langer garen).

WIJNTIP

Eet je dit gerecht met vis, drink er dan een mooie ronde witte wijn, bijvoorbeeld een chardonnay uit de Languedoc bij. Dien je de bloemkool met vlees op, kies dan een volle rode wijn die goed bij het vlees past zoals een côte du rhône.

Koolrabi-wortelsalade met mosterddressing

Eet deze gezonde, knapperige salade van koolrabi en wortel bijvoorbeeld als bijgerecht bij geroosterde kip of een stuk varkensvlees. In plaats van balsamicoazijn kun je heel goed dragonazijn gebruiken. Als je dan ook nog wat verse dragon erdoor mengt, wordt de salade ineens heel anders van karakter.

BEREIDEN

1. Klop in een kom met een garde de azijn, sjalot, crème fraîche en mosterd door elkaar. Voeg zout en peper naar smaak toe en roer de olie door de dressing.

2. Halveer de koolrabi. Snijd of schaaf de koolrabi en wortel in flinterdunne plakjes.

3. Meng in een schaal de groenten met de dressing en voeg nog zout en peper naar smaak toe.

BIJGERECHT
4 PERSONEN

1 eetlepel balsamicoazijn
1 sjalot, gesnipperd
1,5 eetlepel crème fraîche
1 eetlepel mosterd
4 eetlepels olijfolie
1 koolrabi, geschild
1 winterwortel, geschrapt
zout en versgemalen peper

Langzaam gebakken snijbonen met knoflook

De snijboon is een typisch Hollandse boon. In dit gerecht worden de snijbonen niet gekookt maar eerst gebakken en dan langzaam gesmoord met wat knoflook en azijn.

BEREIDEN

1. Maak de snijbonen schoon en snijd ze elk in 3 of 4 stukjes.

2. Verhit de olie in een koekenpan met antiaanbaklaag, bak de bonen al roerend in 10 minuten goudbruin, draai het vuur laag en smoor de bonen in 40-50 minuten gaar. Snijd de teentjes knoflook in dunne plakjes en voeg ze na 30 minuten samen met de azijn aan de bonen toe. Voeg naar smaak zout en peper toe. Roer de bonen tijdens het smoren regelmatig door en voeg, als ze te droog dreigen te worden, eventueel een klein scheutje water toe.

3. Proef de snijbonen en voeg naar smaak eventueel nog wat azijn, zout en peper toe. Laat ze afkoelen tot kamertemperatuur en dien ze op.

TIP

De bonen zijn lekker als voorgerecht, bijvoorbeeld met knapperig brood en plakjes gedroogde ham.

BIJGERECHT
4 PERSONEN

500 gram snijbonen
5 eetlepels olijfolie
3 teentjes knoflook
2 eetlepels rode-wijnazijn
zout en versgemalen peper

Aardappels

Je kunt heel veel variëren met aardappels. Gekookt, gebakken, gepureerd, gratin, in een salade, de mogelijkheden zijn eindeloos.

Vooral nieuwe aardappels zijn zo lekker dat ik er zonder problemen een heel bord van kan eten. Gekookt en dan geserveerd met alleen wat boter en zwarte peper.

Puree maak ik altijd van een kruimige aardappel. Een echte 'smotsige' aardappelpuree, zo'n lekkere gladde romige, maak je als volgt. Neem goede kruimige aardappelen, schil ze en kook ze 20 tot 25 minuten tot ze bijna uit elkaar vallen. Giet ze af en verwarm de melk in de magnetron of pan. Zorg voor genoeg melk zodat de puree straks mooi zalvig is. Als je de puree wat grover wilt hebben dan gebruik je een ouderwetse pureestamper. Maar je kunt ook gewoon een handmixer gebruiken als je een echt fijne puree lekkerder vind. Verder gaat er een lepel Zaanse mosterd doorheen en een flinke klont boter. Versgemalen zwarte peper erdoor en klaar!

Een andere klassieke bereiding is natuurlijk de gebakken aardappel. Hiervoor neem ik vastkokende aardappels. Na het schillen snijd ik ze in blokjes van twee vierkante centimeter. Vervolgens vijf minuten koken in ruim kokend water met zout en even laten uitstomen in de pan. Dan bak ik ze goudgeel en krokant in olijfolie. Tot slot giet ik de olie af en voeg boter toe. Daarmee krijgen de aardappels een vollere smaak. Je kunt bij de laatste stap ook wat fijngehakte knoflook en peterselie toevoegen of wat uitgebakken spekjes en peterselie.

Er zijn veel verschillende soorten aardappels en het is belangrijk de juiste te gebruiken. Ik vraag daarom altijd aan mijn groenteboer welke aardappel het lekkerst is voor het gerecht dat ik in mijn hoofd heb. Van alle duizenden aardappelrecepten die er zijn, vind ik de gekookte nieuwe aardappel, een mooie zalvige puree en krokant gebakken aardappelen eigenlijk het lekkerst. Juist voor deze simpele bereidingen geldt dat de kwaliteit van je ingrediënten de doorslag geeft. Maar hoe simpel de gerechten ook zijn, het duurt even voordat je ze echt beheerst. Blijven proberen dus!

Nieuwe aardappels eet je in mei.

Nieuwe aardappels met grasboter

BIJGERECHT
4 PERSONEN

500 gram Opperdoezer ronde
aardappels
5 eetlepels fijngehakte bladpeterselie
5 eetlepels fijngehakte bieslook
100 gram grasboter
(op kamertemperatuur)
versgemalen zwarte peper
zeezout

De eerste nieuwe aardappels komen in april, mei. Ze zijn onlosmakelijk verbonden met asperges. Na de wintermaanden ben ik wel uitgekeken op puree en stampot en kies ik deze eenvoudige bereiding. De schillen van de nieuwe aardappels eet je gewoon want deze zijn heel zacht. Bovendien bevinden de meeste vitaminen zich vlak onder de schil. Deze aardappels zijn zo lekker dat je er je hele bord wel mee zou willen vullen.

BEREIDEN

1. Was de aardappels, halveer de grotere aardappels zodat alle aardappels ongeveer even groot zijn en dus dezelfde kooktijd hebben. Kook ze in een pan met water en wat zout in ongeveer 20 minuten gaar. Giet de aardappels af en laat ze even in de pan rusten.

2. Roer intussen in een kommetje de fijngesneden peterselie en bieslook door de zachte boter.

3. Schep de gekookte aardappels in een mooie schaal, strooi er zeezout en versgemalen peper over en verdeel de boter over de warme aardappels. Lekker bij gepocheerde vis of in het voorjaar bij Hollandse asperges.

Ouderwets lekkere rode kool

Toen ik in restaurant Het Pomphuis werkte heb ik met kerst een keer 100 kilo rode kool op deze manier bereid voor de traiteur. Dit is een echte klassieker. Het smaakt erg lekker bij gebraden duif of de gebraden wilde eend met cranberry's (zie pagina 163). Je kunt dit recept goed enkele dagen van tevoren maken en in de koelkast bewaren, aangezien de kool er alleen maar lekkerder op wordt.

BEREIDEN

1. Verwijder de buitenste bladeren van de kool en snijd de groente in vier parten. Snijd de witte kern eruit en snijd dan de parten over de breedte in dunne repen.

2. Verhit de boter in een ruime pan met dikke bodem en fruit de ui 5 minuten Voeg dan de suiker, het zout, de kruidnagels, de kaneel en de laurierblaadjes toe. Roer de rode kool erdoor. Schenk de wijn en azijn erbij en voeg naar smaak peper toe.

3. Schil de appels, verwijder het klokhuis en snijd elke appel in 4 partjes. Leg de partjes appel bovenop de rode kool. Stoof de kool afgedekt in ongeveer 1 uur gaar. De kool mag niet te papperig worden, maar moet nog een beetje beet hebben.

WIJNTIP

Deze rode kool smaakt het lekkerst bij wild of winters gevogelte. Serveer er daarom een krachtige rode wijn bij, een mooie vino nobile di montepulciano bijvoorbeeld.

1 kilo rode kool

50 gram roomboter

1 ui, gehalveerd en in ringen

100 gram suiker

1 theelepel zout

2 kruidnagels

1 kaneelstokje

2 laurierblaadjes

1 dl rode wijn

120 ml witte-wijnazijn

2 appels

Ouderwets lekkere rode kool

Pastinaakpuree

Voordat de aardappel hier in de zeventiende werd geïntroduceerd, was pastinaak een van de belangrijkste groenten. Hoewel deze wortelgroente in Engeland heel populair is, is pastinaak in Holland een beetje in de vergetelheid geraakt. Gelukkig is deze mooie groente de laatste jaren hard bezig met haar comeback. De smaak is uniek en houdt het midden tussen die van wortel en knolselderij.

BEREIDEN

1. Schil de pastinaak met een dunschiller en snijd de groente in stukken van 3 bij 3 centimeter. Doe de pastinaak met een beetje zout in een pan. Vul de pan met zoveel koud water tot de stukken half onderstaan en breng de pastinaak afgedekt aan de kook. Draai het vuur laag en kook de groente in ongeveer 20 minuten gaar.

2. Giet de pastinaak af. Voeg de melk, boter en nootmuskaat toe. Breng de puree op smaak met zout en peper.

3. Houd je van een vrij grove puree, stamp de ingrediënten dan met een pureestamper fijn. Wil je een gladdere puree, pureer de pastinaak dan in een keukenmachine. Lekker bij parelhoen (zie pagina 173).

TIP

Je kunt pastinaak ook roosteren. Snijd de witte wortels in repen zo groot als frites (ongeveer 6 x 1 cm). Schep de repen om met een beetje peper, zout, olijfolie en verse tijmblaadjes. Verdeel ze over een bakplaat en rooster ze 20-25 minuten in een voorverwarmde oven van 200 °C tot ze mooi goudbruin zijn.

BIJGERECHT
4 PERSONEN

500 gram pastinaak
50 ml melk
2 eetlepels roomboter
1/2 theelepel nootmuskaat
zout en versgemalen peper

EXTRA NODIG
pureestamper of keukenmachine

Maak een dubbele portie. De andijvie heeft de dag na bereiding nog meer smaak. Bovendien kun je er een leuke borrelhap mee maken: knijp het vocht uit de andijvie en wikkel het in plakjes gedoogde ham.

Pittige andijvie

Doordat je de andijvie vrij lang in de oven zet, verdampt een groot deel van het vocht zodat je een prachtige geconcentreerde smaak krijgt. Het pittige van de cayennepeper is erg verrassend bij deze andijvie. Het gerecht smaakt bij zowel vlees als vis goed.

BEREIDEN

1. Verwarm de oven voor op 200 °C. Was de kroppen andijvie in ruim water; net zolang tot al het zand is verwijderd.

2. Kook de hele andijviekroppen één voor één in een grote pan met ruim water en wat zout 5-8 minuten. Laat de kroppen uitlekken in een vergiet.

3. Snijd de onderkanten van de andijvie af en snijd de kroppen over de breedte doormidden.

4. Leg de andijvie in de ovenschaal en voeg de olie, azijn en cayennepeper toe. Pers de knoflook erboven uit en voeg naar smaak zout toe. Voeg een eetlepel water toe en schep alles goed om. Proef de andijvie en voeg eventueel meer azijn en cayennepeper toe. Het smaakt nu al zo lekker dat je het direct zou willen eten, maar weersta de verleiding en laat de groente in de oven verder garen.

5. Dek de schaal af met aluminiumfolie en zet de andijvie nog 1,5 tot 2 uur in de oven.

WIJNTIP

Schenk er een frisse Verdicchio dei Castelli di Jesi bij, een fijne kruidige Italiaanse witte wijn.

BIJGERECHT
4 PERSONEN

2 kroppen andijvie
8 eetlepels olijfolie
3 eetlepels rode-wijnazijn
1 theelepel cayennepeper
4 teentjes knoflook
zout

EXTRA NODIG
ovenschaal
aluminiumfolie

Prei met spek in tomatensaus

De prei wordt hier met spek omwikkeld en in tomatensaus gestoofd. Een stevig bijgerecht dus, dat vooral bij gegrild vlees en stevige vissoorten, zoals zeeduivel (pagina 149) of zeewolf (pagina 143), goed tot zijn recht komt.

BEREIDEN

1. Verwarm de oven voor op 200 °C. Verhit in een pan met dikke bodem de olie en fruit de knoflook met de tijm. Meng er de tomatenblokjes door en voeg zout en peper naar smaak toe. Laat de saus ongeveer 8 minuten op een laag vuur koken tot hij dikker is; roer de saus regelmatig door.

2. Snijd de stengels prei in twee stukken, zodat je in totaal vier stukken hebt. Was de groente in ruim water tot al het zand eruit is.

3. Kook in een pan met ruim water en wat zout de stukken prei in ongeveer 10 minuten gaar. Giet ze af en laat ze uitlekken in een vergiet.

4. Schenk de tomatensaus in een kleine ovenschaal. Wikkel om elk stuk prei een plakje spek en leg ze naast elkaar in de tomatensaus. Zet het gerecht 20-25 minuten in het midden van de oven. Schep de prei op een bord en verdeel er wat van de tomatensaus over.

WIJNTIP

Kies een stevige witte of een lichte, gekoelde rode wijn, aangezien prei en spek tegenwicht nodig hebben. Een rode wijn uit de Loirestreek past ook goed.

BIJGERECHT
4 PERSONEN

2 eetlepels olijfolie
2 teentjes knoflook, fijngehakt
1 eetlepel verse tijm
1 blik tomatenblokjes (400 gram)
zout en versgemalen peper
2 dunne preien
100 gram ontbijtspek

EXTRA NODIG

kleine ovenschaal

Rauwe bietendip met yoghurt

BIJGERECHT
4 PERSONEN

0,5 liter boerenyoghurt
2 rode bieten
3 eetlepels fijngehakte verse dille
1 teentje knoflook, fijngehakt
2 eetlepels olijfolie extra vierge
enkele druppels citroensap
zout en versgemalen peper

EXTRA NODIG
zeef
grove rasp

Niet veel mensen weten dat je rode bieten gewoon rauw kunt eten. Vooral kleine jonge bieten, uit de tuin of van de markt, zijn hier zoet en sappig genoeg voor. Serveer deze dip bijvoorbeeld op een warme zomerdag bij op 't vel gebakken makreelfilets.

VOORBEREIDEN

1. Spoel een schone theedoek onder koud stromend water en wring de doek goed uit. Leg de doek in een zeef en hang deze boven een kom. Schenk de yoghurt in de doek en zet de kom minimaal 4-5 uur in de koelkast. Het vocht lekt uit de yoghurt en je houdt alleen de romige basis over.

BEREIDEN

1. Schil de bieten en rasp ze boven een kom.
2. Meng er de dille, de knoflook, de olie en het citroensap door. Roer er de uitgelekte yoghurt door en voeg zout en peper naar smaak toe. Laat de dip minimaal 15 minuten staat zodat alle smaken goed kunnen intrekken.

TIP

Je kunt deze dip ook heel goed met geraspte komkommer in plaats van bieten maken.

Roergebakken spinazie met nootmuskaat

Spinazie maar dan anders. Dit is een makkelijk bijgerecht dat heel goed gaat bij het geroosterde runderribstuk van pagina 188. De truc is om de spinazie heel kort te roerbakken, zodat de groente mooi groen blijft.

BEREIDEN

1. Roer in een kommetje de nootmuskaat door de crème fraîche. Voeg zout en peper naar smaak toe. Zet het even apart.

2. Was de spinazie in koud water; net zolang tot al het zand is verwijderd. Verhit de boter in een hapjespan of wok. Roerbak de spinazie op een matig vuur tot de groente geslonken is.

3. Laat de spinazie uitlekken in een zeef en druk het overtollige vocht er goed uit. Schep de spinazie op een voorverwarmd bord en schenk de crème fraîche erover.

0,5 theelepel versgeraspte nootmuskaat

3 eetlepels crème fraîche

zout en versgemalen peper

300 gram verse spinazie

1 eetlepel roomboter

Romige cantharellen met groene bonen

Dit bijgerecht is zó lekker, dat je er verstandig aan doet om dit in ruime hoeveelheden klaar te maken. Ik heb gezien dat mensen hun stukje vlees lieten liggen zodat ze nog een extra portie ervan konden opscheppen. Lekker bij konijn gestoofd in Texels Skuumkoppe (zie pagina 213) of bij gevogelte.

BEREIDEN

1. Kook in een pan met ruim kokend water en wat zout de sperziebonen in 4-6 minuten beetgaar. Giet ze af en spoel ze onder koud stromend water om het garingsproces te stoppen.

2. Krab met een scherp mesje de steel van de cantharellen schoon en snijd een stukje van de onderkant af. Snijd alleen grote exemplaren in 2 of 4 stukjes, laat de rest heel.

3. Verhit de boter in een hapjespan en fruit de ui 5 minuten. Voeg de cantharellen toe en bak ze in 10 minuten al omscheppend gaar. Voeg naar smaak zout en peper toe.

3. Voeg de sperziebonen en crème fraîche toe en smoor het geheel nog 5 minuten. Roer op het laatste moment de basilicum erdoor.

BIJGERECHT
4 PERSONEN

500 gram sperziebonen, schoongemaakt
300 gram cantharellen
25 gram roomboter
1 rode ui, gesnipperd
zout en versgemalen peper
1 dl crème fraîche
4 eetlepels grofgesneden verse basilicum

De lekkerste tomaten eet je in augustus.

Salade van diverse tomaatjes met kappertjes en basilicum

Alleen de beste tomaten en de meest peperige olijfolie zijn goed genoeg voor dit bijgerecht. De lekkerste tomaten zijn verkrijgbaar in augustus en september. Probeer als het even kan verschillende en bijzondere tomatensoorten te bemachtigen. Op biologische markten en in groentespeciaalzaken is vaak volop keuze. Serveer deze heerlijke frisse zomersalade bij vis of vlees van de barbecue.

BIJGERECHT
6 PERSONEN

1 rode ui, in dunne ringen
1 eetlepel witte-wijnazijn
zout en versgemalen peper
60 ml olijfolie extra vierge
2 trostomaten
150 gram gele kerstomaatjes
150 gram rode kerstomaatjes
150 gram Tasty Tom tomaten
1 bos basilicum, blaadjes gescheurd
2 eetlepels kappertjes, uitgelekt

BEREIDEN

1. Maak de dressing: leg de ringen ui in een kom en voeg de azijn toe. Laat de ui 5 minuten in de azijn marineren. Voeg naar smaak zout en peper toe en roer de olie erdoor.

2. Snijd de trostomaten in plakjes, de kerstomaatjes in partjes en de Tasty Tom tomaten door de helft.

3. Schep de tomatensalade door de dressing. Doe de salade in een mooie kom, snipper er wat gescheurde basilicumblaadjes en kappertjes overheen en serveer op kamertemperatuur.

TIP

Wrijf geroosterde dikke sneeën zuurdesembrood in met een teen knoflook, druppel er wat olijfolie extra vierge over en schep de tomatensalade erop.

Schorseneren à la crème

Onder de zwarte schil van een schorseneer schuilt een roomblanke groente die qua smaak en uiterlijk sterk op de witte asperge lijkt. Schorseneren werden vroeger ook wel 'armeluisasperges' genoemd, omdat arme mensen geen asperges konden betalen en het met de goedkopere schorseneren moesten doen. Deze romige schorseneren smaken lekker bij wit vlees zoals gevogelte of kalfsvlees.

BEREIDEN

1. Schenk een beetje water in een kom of pan en voeg het citroensap toe. Hier leg je straks de geschilde schorseneren in zodat ze niet verkleuren. Snijd van de schorseneren aan de boven- en onderkant 1 centimeter af en schil ze met een dunschiller. Leg de geschilde schorseneren direct in het water met citroensap.

2. Snijd de schorseneren in dunne schuine plakjes van ongeveer een $\frac{1}{2}$ centimeter. Leg de gesneden groente in een pan en voeg de crème fraîche en melk toe. Breng het geheel zachtjes aan de kook. Stoof de schorseneren met het deksel schuin op de pan op een laag vuur in ongeveer 15 minuten beetgaar.

3. Schep de schorseneren met een schuimspaan op een bord. Kook de saus nog enkele minuten op een hoog vuur tot de gewenste dikte in. Roer de schorseneren en peterselie door de warme saus. Breng het gerecht op smaak met zout en peper.

WIJNTIP

Bij gevogelte of kalfsvlees met schorseneren kun je het beste een ronde witte wijn of een lichte, fruitige rode wijn drinken. Denk aan een rode wijn uit de Loire of Savoie.

BIJGERECHT
4 PERSONEN

1 dl citroensap
1 kilo schorseneren
 (na het schillen houd je de helft over)
125 ml crème fraîche
125 ml volle melk
3 eetlepels fijngehakte bladpeterselie
zout en versgemalen peper

Eten naar het seizoen

Het menu is bij mij altijd afgestemd op wat er in het seizoen verkrijgbaar is omdat ik het liefst werk met de producten die op dat moment het beste zijn en op het juiste moment zijn geoogst.

Groenten uit het seizoen smaken simpelweg veel beter dan wanneer je ze buiten het seizoen koopt. Aangezien ik zoveel mogelijk met biologische producten werk, ben ik sowieso seizoensafhankelijk. De natuur laat zich immers niet dwingen. Gek genoeg heb ik dat nooit als een nadeel ervaren. De seizoenen, elk met zijn eigen aanbod van verschillende verse producten, inspireren mij juist!

Wanneer de eerste nieuwe Hollandse aardappelen er zijn, zo aan het begin van de lente, dan ga je geen aardappelpuree maken. Het is dan eerder tijd om ze in kleine partjes te snijden en samen met schoongemaakte jonge artisjokken te bakken in wat olijfolie. Heerlijk als bijgerecht bij lamskoteletjes. Net zoals wijn uit een bepaalde streek vaak perfect samengaat met typische streekgerechten uit die omgeving, combineren producten die in dezelfde periode op hun best zijn vaak uitstekend met elkaar. Primeurs vereisen altijd speciale aan-

dacht en zijn inspirerend om mee te koken. Ik kijk dan ook uit naar elk nieuw seizoen. Naar de eerste asperges in april, de eerste tuinbonen. Naar de heerlijke, rijpe en zoete perziken. Of in september naar de eerste wilde eenden. In de wintermaanden is het tijd voor pastinaak en knolselderij en in februari is de bloedsinaasappel - venkelsalade mijn favoriet.

In de afgelopen achtien jaar dat ik met koken bezig ben, heb ik alle seizoenen evenzoveel keer voorbij zien komen. Ik weet inmiddels instinctief wanneer welke producten het lekkerst zijn. Als je niet zeker weet wat er in het seizoen is, vraag het dan gewoon aan je slager, visboer of groenteboer. Zij vertellen je graag welke producten op hun top zijn. Zo ontwikkel je vanzelf gevoel voor het seizoen. Je zult zien dat je binnen de kortste keren, net als ik, zonder boodschappenlijst gaat shoppen, gewoon koopt wat er in het seizoen is en daarmee je maaltijd samenstelt.

Als je niet zeker weet wat er in het seizoen is, vraag het dan gewoon aan je slager, visboer of groenteboer.

Erwtensoep met paardenworst

Wat is er nou Hollandser dan een kop hete dikke en goed gevulde erwtensoep na het schaatsen? Van deze erwtensoep heb ik in de winter altijd wel een paar bakjes in mijn vriezer. Handig voor onverwachte eters! De allerlekkerste paardenworst koop ik bij Slagerij Van Raa in Wormerveer.

BEREIDEN

1. Was de spliterwten in een grote pan. Breng de erwten met 2 liter koud water, het zout, de hamschijf, de karbonade en het speklapje aan de kook. Laat het geheel 30 minuten op een laag vuur koken; schep het schuim er regelmatig vanaf en roer af en toe goed over bodem om te voorkomen dat de soep aanbrandt.

2. Voeg de prei, bleekselderij, wortel, aardappel, laurier en ui toe en laat de soep nog 30 minuten zachtjes koken; roer de soep regelmatig door om aanbranden te voorkomen. Dreigt de soep toch aan te branden, voeg dan een beetje warm water toe uit de kraan (100 ml om mee te beginnen). Voeg zout en peper naar smaak toe.

3. Haal de hamschijf, karbonade en speklap uit de pan en snijd het vlees in kleine blokjes of reepjes. Roer het vlees en de worst door de soep. Laat de soep nog ongeveer 15 minuten zachtjes koken.

4. Schep de soep in vier (voorverwarmde) diepe borden. Strooi de bleekselderijblaadjes erover.

WIJNTIP

Bij deze hartige maaltijdsoep is een enigszins boerse wijn op zijn plek, bijvoorbeeld een lekkere rode vin de pays uit de Rhône of de Provence.

---

500 gram spliterwten

300 gram hamschijf (schenkel, eventueel vervangen door een hamlap)

1 schouderkarbonade

1 speklapje

2 laurierblaadjes

1 kleine prei, fijngesneden

½ struik bleekselderij, in kleine blokjes

1 kleine winterwortel, in kleine blokjes

1 grote kruimige aardappel, geschild en in blokjes

2 uien, gesnipperd

1 kleine paardenworst of rookworst, in plakjes

1 theelepel zout

versgemalen zwarte peper

enkele binnenste gele blaadjes van de struik bleekselderij, fijngehakt (voor de garnering)

Kook de soep niet meer nadat je de oesters hebt toegevoegd.

Preisoep met Zeeuwse oesters

Soep met oesters, dat is feestelijk! De combinatie van de zoete prei met de zilte oesters is heel verrassend. Echt een soep voor als je wat te vieren hebt of je vrienden een keer iets bijzonders wilt voorzetten.

BEREIDEN

1. Smelt de boter in een ruime pan met dikke bodem en fruit de ui 5 minuten op een matig vuur. Schep er de prei en de blokjes aardappel door en voeg wat zout en peper naar smaak toe. Schenk 3 dl water en de room bij het prei-mengsel. Zet het vuur laag en laat het geheel 15 tot 20 minuten zachtjes koken.

2. Maak intussen de oesters open en haal ze eruit (zie kader); vang het oestervocht op. Houd 4 oesters heel voor de garnering. Snijd de rest van de oesters in stukjes.

3. Voeg het oestervocht aan de soep toe en pureer de soep met een staaf-mixer. Proef en voeg eventueel wat zout en peper toe.

4. Schep de soep in kommen of diepe borden en meng de gehakte oesters door de soep. Garneer elk bord met een hele oester.

WIJNTIP

Deze soep verdient een feestelijke wijn. Drink er champagne bij of kies het perfecte oesterwater bij uitstek: Chablis. Voor een iets ongewonere maar spannende combinatie kun je een goede Muscadet nemen. Haal die het liefst bij een speciaalzaak want Muscadet uit de supermarkt is over het algemeen vrij zuur.

OESTERS OPENMAKEN

Houd de oester met de bolle kant naar beneden in een dubbelgevouwen theedoek stevig vast (of gebruik handschoenen). Steek het oestermes in het punt waar de beide schelphelften aan elkaar vast zitten (het scharnier). Wrik het mes voorzichtig naar binnen en draai het mes een kwartslag om zodat je de oester een beetje opent. Haal het mes langzaam van voor naar achter en snijd zo de schelpen langs de kier los. Dit gaat het makkelijkst als je de schelp recht houdt. Verwijder de bovenste platte schelp en snijd de oester in de bolle schelp los.

MAALTIJDSOEP
4 PERSONEN

2 eetlepels boter
1 ui, gesnipperd
500 gram jonge prei, fijngesneden
3 kruimige aardappels, geschild en in blokjes
zout en versgemalen peper
250 ml slagroom
12-16 Zeeuwse oesters

EXTRA NODIG
goed oestermes
staafmixer

Vis, schaal- &
schelpdieren

Superverse vis

Net als groenten en fruit is de aanvoer van vis ook seizoensafhankelijk. En dan hebben we het hier niet over het fabeltje dat mosselen alleen maar lekker zijn als de 'r' in de maand zit: het seizoen voor Zeeuwse mosselen loopt namelijk van juli tot en met maart.

Ik houd zoveel mogelijk rekening met die seizoenen. Zo eet ik in de maand februari bijvoorbeeld geen wijting omdat die dan niet op zijn best is. Over wijting gesproken: dat is een van de meest ondergewaardeerde vissoorten, maar wel bijzonder lekker. Bestel eens een paar wijtingfilets bij de visboer en bereid ze dan als volgt: strooi wat peper en zout over de vis en bak de filets dan een paar minuten op de huid met een beetje olie. Tot het velletje krokant is. Draai de vis om en schroei de andere kant dicht. Lekker met bijvoorbeeld de tomatensalade van pagina 101.

Voor ik een viswinkel binnenloop bekijk ik eerst de vitrines. Liggen er, op veel ijs, grote stukken en hele vissen in de vitrine? Dan is dat een goed begin. Als het binnen dan ook nog fris en ziltig ruikt, zit je vaak goed. De vissen zelf moeten er stevig uitzien en niet ruiken. De ogen van de vissen moeten glanzen en bol staan. Als het goed is zie je een slijmlaagje op het vel. Meestal vraag ik eerst aan de visboer wat hij me aan kan raden.

Net als bij vlees, dat meer smaak krijgt en malser is wanneer je het 'aan het bot' bereidt, smaakt vis op de graat beter dan losgesneden filets. Als je gasten gruwelen van graten, dan haal je het visvlees na bereiding van de graat. Wist je trouwens dat het staartstuk van vis geen graten bevat?

Ik bewaar vis zelden langer dan een dag in de koelkast. Liever bereid ik de vis op dezelfde dag dat ik hem koop. Ik was de vis eerst goed onder stromend water en dan dep hem droog met keukenpapier. Bij het bereiden houd ik me altijd aan de volgende simpele regels.

1. Bak op het vel
Het vel wordt lekker krokant en het vlees blijft mooi sappig. Ik bak eerst de kant van het vel op middelhoog vuur goudbruin en krokant, daarna schroei ik de andere kant dicht.

2. Niet te lang garen
Echt verse vis kun je net zo goed rauw als gaar eten. Ik gaar vis dus liever iets te kort dan iets te lang.

3. Verwarm op lage temperatuur
Als je vis heel langzaam gaart in de oven op zestig graden, blijft het visvlees heel zacht en sappig. Probeer dit eens met een grote zalmfilet die je insmeert met extra vierge olijfolie, peper en zout. Leg onder de vis een royale hoeveelheid verse kruiden, zoals peterselie, basilicum en dragon en rasp hier wat citroenschil over. Leg de vis hierop en laat deze twintig tot dertig minuten langzaam garen.

4. In tegenstelling tot vlees, haal je vis pas op het laatste moment uit de koelkast. De kwaliteit van vis holt achteruit bij kamertemperatuur.

Net als bij vlees, dat meer smaak krijgt en malser is wanneer je het 'aan het bot' bereidt, smaakt vis op de graat beter dan losgesneden filets.

Viskalender

Beschikbaarheid: goed ● (grijs) · mager (gearceerd) · paaitijd ○ · gesloten ● (zwart)

VIS

Legenda symbolen: **G** = goed · **M** = mager · **P** = paaitijd · **C** = gesloten

WILDE VIS	JAN	FEB	MRT	APRIL	MEI	JUNI	JULI	AUG	SEP	OKT	NOV	DEC
griet	M	M	P	P	P	G	G	G	G	G	M	M
haring	G	G	G	G	G	G	G	G	G	G	G	G
heilbot	G	G	G	G	G	G	G	G	G	G	G	G
hollandse garnaal	G	G	G	G	G	G	G	G	G	G	G	G
kabeljauw	P	P	P	M	M	M	G	G	G	G	G	G
kreeft (oosterschelde)	C	C	C	M	G	G	G	C	C	C	C	C
langoustine	G	G	G	G	G	G	G	G	G	G	G	G
makreel	G	G	G	G	G	G	G	G	G	G	G	G
mossel (zeeuwse)	G	G	G	C	C	C	G	G	G	G	G	G
nijlbaars	G	G	G	G	G	G	G	G	G	G	G	G
rode mul	M	M	M	M	M	G	G	G	G	G	G	G
rode poon	M	M	M	M	M	G	G	G	G	G	G	G
rog	G	G	G	G	G	G	G	G	G	G	G	G
roodbaars	P	P	G	G	G	G	G	G	G	G	G	G
schelvis	G	G	P	P	P	P	P	G	G	G	G	G
schol	P	P	P	M	M	G	G	G	G	G	G	M
sint jacobsschelp	G	G	G	P	P	P	G	G	G	G	G	G
snoekbaars	G	G	G	C	C	G	G	G	G	G	G	G
tarbot	G	G	G	G	G	P	M	G	G	G	G	G
tong	M	P	P	P	P	M	G	G	G	G	G	G
tongschar	G	G	P	P	G	G	G	G	G	G	G	G
tonijn (geelvin)	G	G	G	G	G	G	G	G	G	G	G	G
wijting	M	M	M	M	G	G	G	G	G	G	G	G
zeebaars	G	G	G	G	G	G	G	G	G	G	G	G
zeeduivel	M	M	G	G	G	G	G	G	G	G	M	M
zeewolf	G	G	G	G	G	G	G	G	G	G	G	G
zonnevis	P	P	P	M	M	G	G	G	G	G	G	G

KWEEKVIS

	JAN	FEB	MRT	APRIL	MEI	JUNI	JULI	AUG	SEP	OKT	NOV	DEC
forel	G	G	G	G	G	G	G	G	G	G	G	G
zalm	G	G	G	G	G	G	G	G	G	G	G	G

bron: nederlands visbureau

Alikruiken zijn het hele jaar verkrijgbaar.

Alikruiken met peterseliedressing

Deze kleine zeeslakjes zijn lekker als borrelhapje, maar je kunt ze ook als onderdeel van een schaal- en schelpdierenmaaltijd opdienen. Prik de slakjes met een naald uit de schelpjes, verwijder het harde stukje dat aan het vlees zit (het dekplaatje) en haal ze door de vinaigrette. Eet er versgeroosterd brood bij. Heerlijk!

BEREIDEN

1. Was de alikruiken in ruim koud water. Breng in een pan 1 liter water met het zout aan de kook. Voeg de alikruiken aan het kokende water toe en kook ze in ongeveer 4 minuten gaar. Giet de slakjes af en laat ze uitlekken in een vergiet.

2. Roer in een kommetje de sjalot, azijn en olie door elkaar. Voeg zout en peper naar smaak toe en meng er de peterselie door.

WIJNTIP

Bij dit gerechtje is een droge, frisse witte wijn, zoals muscadet of picpoul de pinet lekker.

HAPJE
4 PERSONEN

500 gram alikruiken
4 eetlepels zeezout
1 sjalot, gesnipperd
1 eetlepel rode-wijnazijn
3 eetlepels olijfolie extra vierge
zout en versgemalen zwarte peper
4 eetlepels fijngehakte bladpeterselie

Gegratineerde mosselen met krokant broodkruim en tomatensaus

Deze mosselen met tomatensaus en krokant broodkruim vinden zelfs minder grote mosselliefhebbers verrukkelijk.

BEREIDEN

1. Verwarm de oven voor op 180 °C. Verhit in een steelpan met dikke bodem de olie, fruit hierin de knoflook en marjolein ongeveer 2 minuten. Schenk de tomatenblokjes erbij en voeg naar smaak zout en peper toe. Laat de saus ongeveer 20 minuten op een laag vuur (zonder deksel) zacht koken tot er een dikke tomatensaus is ontstaan; roer de saus zo nu en dan door.

2. Spoel de mosselen goed onder koud stromend water; verwijder kapotte exemplaren. Verhit in een grote pan met dikke bodem 1 eetlepel olie en fruit de ui, bleekselderij en wortel ongeveer 5 minuten. Pers dan de knoflook boven de pan uit. Schep de mosselen door het groentemengsel en schenk de wijn erbij.

3. Kook de mosselen op een hoog vuur met een deksel op de pan in 6-8 minuten gaar, tot alle schelpen geopend zijn. Schud de mosselen tussentijds voorzichtig enkele malen met het deksel op de pan om. Schep de mosselen op een groot bord en laat ze afkoelen.

4. Snijd de korsten van het brood af. Maal het brood in de keukenmachine tot kruimels. Strooi de kruimels op een bakplaat en sprenkel er 2 eetlepels olie over. Schuif de bakplaat in de oven en rooster het broodkruim in 10-15 minuten goudbruin.

5. Haal de mosselen uit de schelp. Breek de schelp in tweeën en leg de mossel terug in een van de schelphelften. Schep op elke mossel een beetje tomatensaus. Strooi het geroosterde broodkruim erover. Leg de mosselen weer op de bakplaat en zet ze 5 minuten in de oven tot ze warm zijn. Serveer de mosselen op een mooi groot wit bord of platte schaal.

WIJNTIP

De tomaat en de mosselen vragen om een droge wijn van de sauvignon blanc-druif. Een lekkere sancerre van een goed huis past uitstekend bij dit hapje maar probeer ook eens de wat minder bekende touraine sauvignon uit dezelfde streek.

VOOR DE TOMATENSAUS

2 eetlepels olijfolie

2 teentjes knoflook

1 eetlepel (gedroogde) marjolein

1 blik tomatenblokjes (400 gram)

VOOR DE MOSSELEN

2 kilo jumbo-mosselen

3 eetlepels olijfolie

1 ui, gesnipperd

3 stengels bleekselderij, fijngesneden

3 bospenen, geschrapt en in kleine blokjes

2 teentjes knoflook

1 dl droge witte wijn

8 sneetjes oud witbrood

zout en versgemalen peper

EXTRA NODIG

keukenmachine

Gerookte paling met mierikswortelcrème-fraîche

Jobs buurman was vroeger meester-fuikenzetter. Hij heeft ontelbare kilo's paling gevist en daar een aardig zakcentje mee verdiend. Een echte palingexpert dus, maar dit recept had hij nog nooit geproefd!

HAPJE
4 PERSONEN

500 gram gerookte palingfilets of 1 kilo hele gerookte paling
1 theelepel versgeraspte mierikswortel
125 ml crème fraîche
versgemalen zwarte peper
enkele sneetjes geroosterd brood, om erbij te serveren

VOORBEREIDEN
Als je de paling nog moet schoonmaken: strip de paling door vlak achter de kop een inkeping te maken (dwars op de graat). Neem het vel tussen mes en vinger en stroop zo het vel van de paling. Snijd daarna met een mesje de filets van de graat.

BEREIDEN
1. Meng in een kommetje de mierikswortel met de crème fraîche.
2. Smeer een klein beetje van de mierikswortelsaus op het geroosterde brood en leg een stukje palingfilet op. Strooi er peper naar smaak over.

WAT DRINK JE ERBIJ?
De vette paling, de pittige mierikswortel en de romige crème fraîche maken je keus erg lastig. Bier, sherry, of een glas wodka met veel ijs is er lekker bij.

TIP
Als je geen verse mierikswortel kunt krijgen is die uit een potje ook prima. Mierikswortel uit pot is iets minder pittig, dus gebruik er in dit recept ongeveer 2 theelepels van.

Wijn en vis

Witte wijn gaat altijd goed samen met vis. Voor schelp- en schaaldieren kies ik meestal een fijne droge witte wijn uit: muscadet, picpoul de pinet of een lichtzilte manzanilla sherry. Bij gegrilde vis of vis met een rijke boter- of roomsaus mag de wijn wat krachtiger zijn. Denk dan aan een mooie witte bourgogne, of een wijn op basis van de viognier-druif of een niet te jonge sancerre. Maar ook rode wijn kan subliem zijn. Bij een kort gegrilde tonijnsteak gaat een lichte cru uit de Beaujolais (bijvoorbeeld chiroubles of fleurie) heel goed. Op mooie zomerdagen past zo'n lichte rode wijn sowieso goed bij vis.

Laat de paling eerst op kamertemperatuur komen.

Hollandse nieuwe, met ui natuurlijk, maar dan net even anders!

Hollandse nieuwe met Amsterdamse uitjes

Het toevoegen van uitjes en zuur was oorspronkelijk bedoeld om de soms wat ranzige smaak van haring te verdoezelen. Door moderne conserveringsmethodes is dat eigenlijk niet meer nodig, maar het gebruik is gebleven. En niet voor niets, want de combinatie is verrukkelijk.

BEREIDEN

1. Snijd elke haringfilet in 3 schuine stukjes en leg ze op een groot bord. Snijd de ui in flinterdunne halve ringen. Verdeel de ui en tuinkers over de haring. Rijg aan elke cocktailprikker een Amsterdams uitje en prik ze in de stukjes haring.

WAT DRINK JE ERBIJ?

Hollandse nieuwe en korenwijn of jenever lijken voor elkaar gemaakt. Voor de afwisseling kun je er ook eens wodka of aquavit bij drinken.

HAPJE
4 PERSONEN

4 haringen (Hollandse nieuwe)
½ rode ui, gepeld
½ bakje tuinkers
24 Amsterdamse uitjes.

EXTRA NODIG
24 cocktailprikkers

Makreelrilette

Makreel is één van de weinige vissen waar de zee nog vol mee zit en die je nog zonder schuldgevoel kunt eten. Geef deze rillette met vers knapperig brood als borrelhapje en drink er een glas droge witte wijn bij.

BEREIDEN

1. Maak de makreel schoon; verwijder het vel en de graatjes. Verwijder ook het bruine visvlees.

2. Prak de makreelfilets in een kom met een vork fijn. Meng er de sjalotten, kervel, mayonaise, kappertjes en cayennepeper door. Breng de rillette op smaak met citroensap en zout.

WIJNTIP

Omdat makreel een vette vis is, is het lastig er een goede wijn bij te vinden. Een frisse wijn, zoals een Italiaanse verdicchio, past er goed bij. Maar misschien is een fijne droge manzanilla (sherry) nog een betere keuze.

HAPJE
4 PERSONEN

1 gestoomde makreel
2 sjalotten, gesnipperd
3 eetlepels fijngehakte verse kervel
4 eetlepels mayonaise
1 eetlepel kappertjes
½ theelepel cayennepeper
citroensap, naar smaak
zout

Lekker met geroosterd stokbrood.

Haringtartaar met kruidensalade en rode bietjes

Dit is een elegante variant op de bekende haring-bietensalade. Zo elegant dat je dit makkelijk als voorgerechtje bij een mooi diner kunt opdienen.

VOORGERECHT

4 PERSONEN

4 rode bieten

3 eetlepels olijfolie extra vierge

zout en versgemalen peper

2 teentjes knoflook, gepeld

2 laurierblaadjes

25 gram bladpeterselie

15 gram basilicum

15 gram kervel

15 gram bieslook

50 gram rucola

4 haringen (Hollandse nieuwe)

$1/2$ rode ui, gesnipperd

enkele druppels citroensap

EXTRA NODIG

kleine ovenschaal

aluminiumfolie

sladroger

BEREIDEN

1. Verwarm de oven voor op 200 °C. Snijd het loof van de bieten en boen de bieten schoon. Schenk $1/2$ centimeter water op de bodem van een kleine ovenschaal en leg er de bieten in. Sprenkel er 1 eetlepel olie over en strooi er wat zout en peper over. Leg de knoflook en laurierblaadjes ertussen. Dek de schaal af met aluminiumfolie en rooster ze in het midden van de oven in ongeveer 1 uur gaar. Prik er met een aardappelschilmesje in om te controleren of ze goed zacht en dus gaar zijn.

2. Maak intussen de kruidensalade. Zet een grote kom met ijswater klaar (koud water met daarin enkele blokjes ijs). Pluk van de peterselie, het basilicum en de kervel de blaadjes van de steeltjes. Snijd de bieslook in stukjes van 5 centimeter. Leg alle kruiden en de rucola in de kom met ijswater om de kruiden extra knapperig te maken.

3. Haal de bieten uit de oven. Verwijder de schil van de bieten en snijd ze in dunne plakjes.

4. Snijd de haringfilets in piepkleine blokjes van $1/2$ centimeter. Meng in een kom de haring met de ui, enkele druppels citroensap en wat versgemalen zwarte peper. Verdeel de plakjes biet over het midden van vier grote borden en schep er de haringtartaar op. Laat de kruiden goed uitlekken in een vergiet en draai ze in een sladroger droog. Meng de kruiden in een grote kom met de rest van de olie en voeg zout en peper naar smaak toe. Verdeel de salade over de borden.

WAT DRINK JE ERBIJ?

De klassieke combinatie van haring met een glaasje acquavit of korenwijn is natuurlijk altijd goed. Maar probeer ook eens iets spannends, zoals een frisse bourgogne aligoté.

Kook levende kreeft 2 minuten
in een grote pan met ruim kokend water
zodat je ze makkelijker kunt halveren.
Halveer de kreeften in de lengte en gril
ze iets korter dan de rauwe kreeft
uit dit recept.

Oosterscheldekreeft
met basilicummayonaise

Behalve de schaal kun je echt alles van de kreeft eten. En uiteindelijk kun je ook de schaal nog gebruiken voor het trekken van bouillon, behalve natuurlijk wanneer een echte kreeftenliefhebber hem helemaal kaal heeft gegeten. Vraag eventueel aan de visboer of hij de kreeften over de lengte doormidden wil snijden.

BEREIDEN

1. Begin met de mayonaise. Zorg ervoor dat alle ingrediënten op kamertemperatuur zijn. Zet de kom op een natte theedoek op het aanrecht om het schuiven tijdens het kloppen tegen te gaan. Klop in een grote kom met een garde de eidooiers, azijn en mosterd door elkaar. Voeg al kloppend druppelsgewijs en geleidelijk de maïsolie toe. Net zo lang tot alle olie is gebruikt en zich een mooie mayonaise heeft gevormd. Stamp in de vijzel het basilicum fijn. Meng de basilicumpuree door de mayonaise en voeg zout en peper naar smaak toe.

2. Draai de poten met de scharen voorzichtig van de gehalveerde kreeft af. Deze worden apart gegrild omdat ze wat meer tijd nodig hebben dan het lijf. Kleine pootjes kun je rustig laten zitten.

3. Verhit de grillpan tot zeer heet voor (de walm moet er vanaf komen). Gril eerst de scharen van de kreeft in 10-12 minuten gaar. Bestrijk intussen het kreeftenvlees in de staarten met olie. Leg de kreeftenstaarten met het vlees naar beneden in de grillpan en rooster ze 4 minuten. Keer de staarten en gril ze nog 2 minuten. De schaal van de kreeft is nu oranjerood van kleur.

4. Serveer de kreeft met de mayonaise en knapperig brood. Kraak de scharen aan tafel met de kreeftentang.

WIJNTIP

Als je dan toch aan de kreeft gaat, kies dan ook een prachtige wijn. Vraag je wijnhandelaar om een mooie witte bourgogne, bij voorkeur een schitterende meursault of een wijn op basis van de viognier-druif.

2 eidooiers (gepasteuriseerd),
op kamertemperatuur
1 eetlepel witte-wijnazijn
1 eetlepel Dijonmosterd
2,5 dl maïsolie
60 gram basilicum (alleen de blaadjes)
2 eetlepels olijfolie
zout en versgemalen peper
2 verse ongekookte Oosterschelde kreeften
    van 450 gram, over de lengte
    doormidden gesneden
vers knapperig brood, om erbij te serveren

EXTRA NODIG
grillpan
vijzel
kreeftentang

Het kreeftenseizoen van Oosterscheldekreeft duurt van 1 april tot 15 juli.

Zoetzure makreel

Dit voorgerechtje van makreel in groenten en azijn is een echte 'appetizer'. Heerlijk om een diner mee te starten. Serveer dit met een kruidenmayonaise en een groene salade. Vis die op deze wijze is gemarineerd kun je ongeveer een week bewaren. Een ideaal gerecht voor als je mensen te eten krijgt en je niet alles op het laatste moment wilt klaarmaken.

BEREIDEN

1. Maak de makrelen schoon of vraag aan de visboer of hij dit voor je doet. Was de vissen onder de kraan en dep ze met keukenpapier droog. Snijd elke vis in 4 à 5 moten; laat het staartstukje eraan zitten.

2. Doe alle ingrediënten, behalve de vis, in een grote pan. Schenk er 6 dl koud water bij en breng het geheel aan de kook. Voeg naar smaak zout en peper toe. Voeg na 2 of 3 minuten, zodra de wortel beetgaar is, de vis toe. Zet het vuur uit zodra het vocht weer aan de kook begint te komen. Laat de makreel in de bouillon afkoelen zodat alle smaken kunnen intrekken.

3. Schep de afgekoelde makreel uit het vocht en serveer deze met de groente of bewaar de vis in het vocht in een luchtdicht afgesloten trommel in de koelkast.

WAT DRINK JE ERBIJ?

Het zuur van de azijn verpest bijna elke wijn. Misschien dat een hele droge muscadet of een bourgogne aligoté nog kans maakt, maar ik zou bij dit gerecht eerder een koud biertje serveren.

VOORGERECHT
6 PERSONEN

3 verse makrelen

3 bospeentjes, geschrapt en in kleine blokjes

3 stengels bleekselderij, in stukjes

1 kleine prei, fijngesneden

7,5 dl witte-wijnazijn

125 gram kristalsuiker

30 gram zout

2 laurierblaadjes

1/2 eetlepel mosterdzaad

1 1/2 theelepel venkelzaad

1 eetlepel zwarte peperkorrels

zout en versgemalen peper

EXTRA NODIG
keukenpapier

Gebakken schol met koolrabi-salsa

In dit recept geeft de rauwe koolrabi een spannende structuur aan de salsa. Maak de salsa even van te voren zodat alle smaken goed kunnen intrekken Dit gerecht is heel erg lekker met een smeuïge knolselderij-puree waar je dan de vis op legt. Het zoete van de knolselderij is heerlijk bij de zoutige en ziltige smaak van de schol, de ansjovis en kappertjes.

BEREIDEN

1. Schil de koolrabi, snijd de knol in plakken en vervolgens in piepkleine blokjes van ongeveer ½ centimeter. Snijd ook de bleekselderij in blokjes van dezelfde grootte; hak de gele selderijblaadjes fijn. Rasp boven een kommetje de schil van de citroen af (alleen het geel). Pers de citroen uit.

2. Schep in een schaal de koolrabi, bleekselderij, citroenrasp, kappertjes, ansjovis, sjalot en 4 eetlepels olie door elkaar. Voeg naar smaak citroensap, zout en peper toe.

3. Bestrooi de scholfilets met wat zout en peper. Verhit in een koekenpan 1 eetlepel olie. Leg de filets erin en bak ze op een matig vuur aan één kant in ongeveer 5 minuten goudgeel en krokant. Draai de filets met een spatel om en bak de andere kant nog ongeveer 30 seconden.

4. Snijd de rucola in grove stukken. Meng in een kom de rucola met de rest van de olie. Voeg zout en peper naar smaak toe. Verdeel de vis over vier voorverwarmde borden, schep er de salsa over en leg er de rucola-salade naast.

WIJNTIP

Kies bij dit gerecht met pittige kappertjes en ansjovis een lekkere enigszins krachtige witte wijn, zoals een mooie viognier uit de Rhône of Languedoc. Voor een wat spannender combinatie kies je een mineralige muscadet.

TUSSENGERECHT
4 PERSONEN

1 koolrabi
1 stengel bleekselderij met geel blad
    (uit het binnenste van de struik bleekselderij)
1 citroen, schoongeboend
1 theelepel kappertjes, grofgehakt
3 ansjovisfilets, fijngehakt
1 sjalot, gesnipperd
6 eetlepels olijfolie extra vierge
4 scholfilets van ongeveer 100 gram
50 gram rucola
zout en versgemalen peper

EXTRA NODIG
fijne rasp

Romige mosselsoep

Deze mosselsoep met room en saffraan is mooi als tussengerecht tijdens een chique diner. Maar het is ook een lekker lunchgerecht, met warm knapperig stokbrood en een groene salade.

BEREIDEN

1. Spoel de mosselen goed onder koud stromend water; verwijder kapotte exemplaren.

2. Verhit in een grote pan met dikke bodem de olie en fruit de ui, bleekselderij en wortel 5 minuten. Pers dan de knoflook boven de pan uit. Schep de mosselen door het groentemengsel en schenk de wijn erbij. Kook de mosselen op een hoog vuur met een deksel op de pan in 6-8 minuten gaar, tot alle schelpen geopend zijn. Schud de mosselen tussentijds voorzichtig enkele malen met het deksel op de pan om. Schep de mosselen met een schuimspaan op een groot bord en laat ze afkoelen.

3. Giet het mosselvocht boven een kom door een fijne zeef. Schenk het vocht weer in de pan en voeg de saffraan en room toe. Kook het geheel ongeveer 15 minuten zachtjes op een laag vuur.

4. Haal de mosselen uit de schelp. Hak de mosselen in de keukenmachine met behulp van de pulsknop grof. Voeg de gehakte mosselen toe aan de soep en laat de soep op een laag vuur nog 5 minuten koken. Voeg zout en peper naar smaak toe. Verdeel de soep over vier voorverwarmde diepe borden en strooi de peterselie erover.

WIJNTIP

Probeer bij deze romige soep eens een Oostenrijkse grüner veltliner. Dit is een heerlijke wijn met zachte zuren en dat is precies waar deze soep om vraagt. Een roussette uit de Savoie past hier ook goed bij.

2 kilo jumbo-mosselen

2 eetlepels olijfolie

1 ui, gesnipperd

3 stengels bleekselderij, in kleine blokjes

3 bospenen, geschrapt en in kleine blokjes

2 teentjes knoflook

1 dl droge witte wijn

15 saffraandraadjes

2 dl slagroom

5 eetlepels fijngehakte bladpeterselie

zout en versgemalen peper

EXTRA NODIG

zeef,
keukenmachine

Lamsoor & zeekraal

Nederlanders kijken wel eens vreemd op als ze horen dat zeewier voor Japanners een belangrijk ingrediënt is in de keuken. Maar ook bij ons worden zeegroenten als lamsoor en zeekraal al heel lang geoogst en gegeten.

Lamsoor is een zacht groen gewas waarvan de blaadjes iets weg hebben van blaadjes jonge spinazie. Zeekraal zijn dunne groene stengeltjes die lijken op de toppen van planten die uitkomen in de lente. Beide groenten werden oorspronkelijk veel in Zeeland gevonden. Tegenwoordig komen ze op veel minder plaatsen voor. Dat komt omdat lamsoor en zeekraal in een soort niemandsland groeien. Het groeit niet op land en niet in zee, maar precies op de scheidslijn: de schorren. Schorren zijn de begroeide delen die liggen tussen de hoogwaterlijn en de springvloedlijn. Oogsten gebeurt met de hand, simpelweg omdat de schorren veel te zacht en te zompig zijn; machines zakken weg. Daar komt nog eens bij dat deze groenten moeilijk te kweken zijn vanwege de bijzondere omstandigheden waaronder ze groeien. Door inpoldering is er echter steeds minder van dit soort land beschikbaar voor de teelt van deze delicatesse.

Lamsoor en zeekraal zijn dus bijzondere gewassen. Maar hoe zit het met de smaak? Zowel lamsoor als zeekraal hebben een zilte smaak. Ze laten zich heel goed combineren met verse vis. Je kunt de groenten rauw eten. Als je ze warm bereidt, was ze dan heel kort onder koud stromend water. Anders verliezen ze hun karakteristieke zilte smaak. Blancheer ze vervolgens een minuut in water of stoof ze een minuut in wat boter. Geef er verse peper bij, maar geen zout. De groenten zijn al zout van zichzelf. Ik heb lamsoor ook wel geserveerd bij een gerecht van asperges en rosé gebraden lamskoteletjes. Maar bij de zeewolf van pagina 143 past het ook heel goed.

Zowel lamsoor als zeekraal hebben een zilte smaak. Ze laten zich heel goed combineren met verse vis. Kijk voor meer informatie over lamsoor en zeekraal op www.zeekraal.nl

Gegrilde zeewolf met lamsoren en zeekraal

Zeewolf is een stevige vis en is dus heel geschikt om te grillen. Samen met de Hollandaisesaus en de groenten vormt de gegrilde vis een klassiek maar vooral heel erg lekker hoofdgerecht. Eet er nieuwe Hollandse (Opperdoezer) aardappels bij.

BEREIDEN

1. Begin met het maken van de saus: Verhit een bodem water (3 centimeter) in een steelpan. Smelt 100 gram boter in een kleine (steel) pan op een laag vuur. Breng in een ander pannetje de wijn aan de kook. Haal de wijn van het vuur doe de eierdooiers in een maatbeker. Voeg de warme wijn al mixend toe aan de eidooiers. Schenk de boter, terwijl je de massa blijft mixen, in een dunne straal bij het wijnmengsel. Zet de maatbeker in het bijna kokende water in de pan en mix de saus tot deze warm is.

2. Voeg naar smaak zout, peper en citroensap toe. Haal de pan van het vuur. Je kunt de saus in het warme water ongeveer een half uurtje laten staan voor gebruik.

3. Verhit de rest van de boter in een koekenpan en bak de lamsoren 5 minuten op middelhoog vuur tot de groente is geslonken. Schep de groente in een schaal en bak vervolgens de zeekraal 3 minuten.

4. Dep de zeewolf met keukenpapier droog. Bestrijk de stukken vis met de olie en strooi er zout en peper over. Verhit de grillpan en gril de vis 3 minuten per kant.

5. Verdeel de groenten over vier borden, leg er de vis naast en schep er een beetje van de saus over.

WIJNTIP

De gegrilde vis en de rijke botersaus vragen ook om een rijke wijn, bij voorkeur van de chardonnay-druif, omdat deze vaak een boterachtige afdronk kent. Drink er bijvoorbeeld een mooie bourgogne bij.

HOOFDGERECHT
4 PERSONEN

125 gram roomboter
50 ml droge witte wijn
3 eierdooiers
½ citroen
zout en versgemalen peper
300 gram lamsoren of zeeaster
300 gram zeekraal
4 stukken zeewolffilet à 150 gram
1 eetlepel olijfolie

EXTRA NODIG
staafmixer
keukenpapier
grillpan

Schelvis met grote macaroni

Voor dit lichte zomerse pastagerecht met vis en tomaat gebruik ik grote stevige pastasoorten, bijvoorbeeld grove macaroni of penne. Deze hebben veel meer beet dan kleine macaroni. Deze vis valt tijdens de bereiding uit elkaar, waardoor je bij elke hap een stukje vis kunt eten.

BEREIDEN

1. Kook de pasta in een pan met ruim kokend water en wat zout volgens de gebruiksaanwijzing beetgaar.
2. Verhit intussen de olie in een ruime koekenpan en fruit de ui en knoflook ongeveer 5 minuten op een matig vuur. Voeg de kerstomaatjes toe en bak ze 2 minuten zachtjes mee. Schenk de wijn in de pan.
3. Schep de stukjes vis en marjolein door het tomaatmengsel en voeg naar smaak zout en peper toe. Stoof de vis op een matig vuur in 5 minuten gaar.
4. Giet de pasta af en schep deze door de vissaus. Verdeel de pasta over vier voorverwarmde borden, sprenkel er nog een beetje olie overheen en strooi er wat versgemalen zwarte peper over.

WIJNTIP

Een frisse witte wijn, zoals een verdicchio, past heel goed bij dit zomerse gerecht. Ook een koele rosé uit de Rhône smaakt hier goed bij.

200 g grote macaroni
1 eetlepel olijfolie, plus extra om te besprenkelen
1 rode ui, grof gesnipperd
1 teentje knoflook
250 gram kerstomaatjes, gehalveerd
50 ml droge witte wijn
300 gram schelvisfilet, in stukken
2 eetlepels verse marjoleinblaadjes
zout en versgemalen peper

Snoekbaars met doperwtenpuree

Snoekbaars is een zoetwater vis met heel stevig visvlees. Dit gerecht is puur en zuiver van smaak en erg lekker met gekookte nieuwe aardappels.

BEREIDEN

1. Rasp boven een kommetje met een fijne rasp 1 theelepel schil van de citroen af (alleen het geel). Snijd de citroen doormidden. Meng in een keukenmachine de boter met de peterselie en de citroenrasp tot een gladde massa. Knijp er naar smaak een beetje citroensap boven uit en voeg wat zout en peper toe. Haal de boter uit de keukenmachine en maak de kom schoon.

2. Kook in een pan met water en wat zout de doperwten in 5-7 minuten gaar. Giet de erwten af en schep ze samen met ½ eetlepel kookvocht in de keukenmachine. Pureer de doperwten tot een grove puree. Meng er 1 eetlepel peterselieboter door, voeg zout en peper naar smaak toe.

3. Verhit de olie in een koekenpan met antiaanbaklaag. Dep de snoekbaars met keukenpapier droog en bestrooi de vis met zout en peper. Bak de vis aan elke kant in 3 minuten goudbruin en gaar.

4. Verwarm de doperwtenpuree nog even en schep deze dan over vier voorverwarmde borden. Leg de vis op de puree en schep op elk bord nog een beetje peterselieboter.

WIJNTIP

Bij dit gerecht met zoete en romige smaken past een glas koele sauvignon blanc uitstekend.

1 citroen, schoongeboend

100 gram roomboter, op kamertemperatuur

5 eetlepels bladpeterselie

450 gram verse doperwten

zout en versgemalen peper

1 eetlepel olijfolie

4 stukken snoekbaars à 150 gram

EXTRA NODIG

fijne rasp

keukenmachine

keukenpapier

Zeeduivel met witte-wijnsaus

De eenvoud en puurheid van dit gerecht spreken mij aan. Omdat je de zeeduivel op de graat bereidt, blijft alle smaak van deze prachtige vis behouden. Zeeduivel is overigens de makkelijkste vis om van de graat te halen, eenvoudigweg omdat hij er maar eentje heeft.

BEREIDEN

1. Verwarm de oven voor op 180 °C. Snijd de bosuitjes over de lengte doormidden. Snijd de onderkanten eraf en verdeel de bosuitjes over de bodem van een ovenschaal.

2. Bestrooi de zeeduivel met zout en peper. Leg de vis bovenop de bosui in de ovenschaal en schenk er 50 ml wijn en de olie over. Plaats de ovenschaal in het midden van de oven en stoof de vis in ca. 25 minuten gaar.

3. Maak intussen de saus. Schenk de rest van de wijn in een steelpan en voeg de sjalotten toe. Kook het geheel in tot er 1 eetlepel vocht is overgebleven. Voeg de slagroom toe, zet het vuur laag en klop met een garde de koude blokjes boter beetje bij beetje door de saus tot alle boter is opgenomen. Voeg naar smaak zout en peper toe. De saus mag nu niet meer koken maar moet wel op een heel laag vuur warm gehouden worden.

4. Haal de zeeduivel uit de oven. Als je met een mes het visvlees makkelijk van de graat kunt snijden, is de zeeduivel gaar. Snijd de visfilets eraf. Verdeel de zeeduivel over vier voorverwarmde borden en schenk er de saus omheen.

WIJNTIP

Bij dit gerecht is een volle witte wijn zoals een wijn op basis van de viognierdruif of een lekkere droge rosé het lekkerst.

8 bosuitjes

650 gram zeeduivelfilet, op de graat en schoongemaakt

zout en versgemalen zwarte peper

2 dl droge witte wijn

2 eetlepels olijfolie

2 sjalotten, gesnipperd

1 eetlepel slagroom

150 gram koude roomboter, in kleine blokjes

EXTRA NODIG

ovenschaal

Gevogelte

Gevogelte

Een hele eend of kip braden, ik vind het heerlijk. Zo'n krokant velletje, lekkere kruiden erin of erop en natuurlijk snijd je dan het gebraad pas aan tafel aan.

Langzame bereidingen zoals bij de geroosterde kip van pagina 163 of de langzaam gebraden tamme eend (pagina 177) vind ik het lekkerst.

Als ik mag kiezen, en de chef mag dat vaak, dan eet ik het liefst de bouten van het gevogelte. De bouten, ook wel het bruine vlees genoemd, zijn sappiger en malser dan het witte vlees, de borsten. Dit komt doordat de kipfilets veel minder vet bevatten en daardoor droger zijn.

Zelfs als ik alleen de filets van de kip gebruik, zoals bij de gepocheerde kip met spinazie pagina 165, koop ik een hele kip. Ik snij dan de borsten en een deel van de mini-drumstick af. Het vel beschermt het vlees tegen uitdrogen en dat mis je als je alleen de kipfilets koopt. De rest van de kip gebruik ik voor bijvoorbeeld bouillon.

Geroosterde kippenvleugeltjes met Zaanse mosterd

Kippenvleugeltjes, ook wel bekend als mini-drumsticks, zijn heerlijk als je ze op de volgende wijze maakt en serveert als borrelhapje.

HAPJE
4-6 PERSONEN

BEREIDEN

1. Verwarm de oven voor op 220 °C. Leg de mini-drumsticks in een grote kom en bestrooi ze met zout en peper. Schep de olie en de mosterd erdoor en wrijf dit mengsel goed in het vlees.

2. Verdeel de kip gelijkmatig over een bakplaat. Rooster de vleugeltjes in het midden van de oven in 25 minuten goudbruin en gaar.

3. Schep de kippenvleugeltjes op een mooie schaal en strooi er de peterselie over.

WIJNTIP

Serveer een eenvoudige wijn bij deze mini-drumsticks. Wit of rood maakt niet uit. Neem gewoon wat je lekker vindt.

500 gram kippenvleugeltjes
zout en versgemalen peper
2 eetlepels olijfolie
3 eetlepels Zaanse mosterd
4 eetlepels gehakte bladpeterselie

Het zondagse gebraden kippetje

Toen ik jong was, kookte mijn vader nooit. Behalve op zondag, wanneer hij kip braadde en dat waren bijzondere dagen.

Dan aten we ook altijd aan een gedekte tafel, terwijl we door de week gewoon aan de hoge bar in de keuken aten. Geroosterde kip op zondag; ik weet zeker dat dit in veel gezinnen ook nu nog de vaste zondagse maaltijd is.

Mijn vader braadt zijn kip nog steeds op dezelfde manier. En heel lekker ook, maar ik heb het recept iets verfijnd. In mijn ideale gebraden kip gaat altijd een vers laurierblaadje. Ook stop ik een halve citroen en een handje kruiden in de buikholte van de kip. En voor het mooiste, egaal geroosterde resultaat, draai ik de kip halverwege om. Zo komt niet alleen de bovenkant, maar ook de onderkant lekker bruin krokant uit de oven. Als ik een hele kip braad, zorg ik wel dat ze van een biologische boerderij is. Dit is iets duurder, maar zo weet je wel weer hoe echte kip smaakt.

Aan de onderzijde, vlak achter de bouten, zitten de lekkerste stukjes vlees van de kip: de oestertjes. Dit zijn twee stukjes vlees zo groot als een oester. Bijna niemand weet dat hier zulke mooie stukjes vlees zitten. Kijk voor de grap maar eens of je ze kunt vinden. Als dat lukt serveer je de oestertjes aan je liefste tafelgenoot, want die heeft natuurlijk recht op het allerbeste. Wanneer bouten, filets, vleugels en oestertjes op zijn, bewaar ik het karkas voor het trekken van een halve liter bouillon. Verwijder dan wel de citroen. Ik vries het karkas zelfs in als ik geen wortel of ui in huis heb of geen tijd heb om de bouillon te trekken. Want als je dan toch de hoofdprijs betaalt voor een biologische kip, moet je er ook alles uithalen.

Tamme eendenborst met cantharellen

In dit makkelijke gerecht smelten de krachtige smaken van de eend en de cantharellen samen tot een hartverwarmend geheel. Perfect voor een gure herfstdag! Laat voor het beste resultaat de eendenborsten voor het bakken eerst op kamertemperatuur komen. Het vlees krijgt een prachtig krokant velletje als je het op een vrij laag vuur bakt.

BEREIDEN

1. Borstel de cantharellen schoon met een zacht borsteltje en dompel ze kort in water om het zand eruit te wassen. Laat ze uitlekken op keukenpapier. Verhit 2 eetlepels olijfolie in een koekenpan en fruit de sjalotten in ongeveer 5 minuten glazig. Voeg de cantharellen toe en bak ze in 8 minuten gaar. Voeg azijn en peterselie toe aan de paddestoelen. Breng het geheel met zout en peper op smaak. Houd de cantharellen warm in een met aluminiumfolie afgedekte pan of in een oven van 100°C.

2. Snijd het vel van de eendenborsten met een vlijmscherp mes kruislings in en bestrooi ze aan beide zijden met zout en peper. Let op dat je alleen het vel insnijdt en niet het vlees dat eronder zit. Verhit een koekenpan met dikke bodem. Leg de eendenborsten op het vel in de pan en zet het vuur lager. Bak de eend op een matig vuur ongeveer 6 minuten, tot het vel goudbruin en krokant is.

3. Draai de eendenborsten om en bak de andere kant in 3 minuten bruin en gaar. Haal de eendenborsten uit de pan en laat ze op een bord, losjes afgedekt met aluminiumfolie, een paar minuten rusten. Schep intussen in een kom de veldsla om met de rest van de olijfolie, het citroensap en wat zout en peper.

4. Snijd de eendenborsten in dunne plakjes van ongeveer $\frac{1}{2}$ centimeter dik en verdeel ze over vier borden. Schep de cantharellen op de eend en leg er wat veldsla naast.

WIJNTIP

Aangezien dit een voorgerecht is en er nog meer wijn volgt, kun je het beste een niet al te krachtige wijn nemen. Drink er een brouilly uit de Beaujolais bij of een eenvoudige rode bourgogne.

VOORGERECHT

4 PERSONEN

300 gram cantharellen
4 eetlepels olijfolie extra vierge
2 sjalotten, gesnipperd
2 tamme eendenborsten à 350 gram
1 eetlepel witte-wijnazijn
2 eetlepels fijngehakte bladpeterselie
zout en versgemalen peper
100 gram veldsla, gewassen
1 theelepel citroensap

EXTRA NODIG

keukenpapier
aluminiumfolie

Tamme eendenborst met cantharellen

Gebraden fazant

Het seizoen voor fazant duurt maar kort: van oktober tot februari.
Zodra er fazant is denk ik aan zuurkool. Ik eet er dan ook vaak gegrild
Zeeuws spek met zuurkool bij (zie pagina 189), een heerlijke combinatie.
Het onderste deel van de fazantpoten (de drumsticks) zit vol pezen.
Hier kun je wildbouillon van trekken maar eet ze niet op. De dijen zijn
gestoofd heerlijk. Vraag eventueel aan de poelier of hij de poten voor je
van de fazant afsnijdt, zodat je ze apart kunt bereiden. Laat de filets aan
het karkas zitten zodat deze tijdens het bereiden sappig blijven.

BEREIDEN

1. Verwarm de oven voor op 180 °C. Snijd de poten van de fazant af en
bestrooi de poten en de delen met het borstvlees met zout en peper. Verhit
in een koekenpan 1 eetlepel olie en braad op een matig vuur alle delen in
porties rondom goudbruin aan. Leg de poten in een braadslede; leg de
delen met het borstvlees met de platte kant naar beneden in een andere
braadslede. Zet de schalen even apart.

2. Verhit 1 eetlepel olie in een koekenpan en bak de ui en wortels ongeveer
5 minuten. Voeg de jeneverbessen en het laurierblad toe en blus het geheel
met de wijn en bouillon af. Schep het uienmengsel om de fazantpoten heen
en dek de schaal af met aluminiumfolie. Plaats de schaal in het midden van
de oven en stoof de poten in ongeveer 2 uur gaar. Haal de poten uit de oven
en houd ze warm onder aluminiumfolie.

3. Plaats de braadslede met het borstvlees in het midden van de oven en
braad ze in ongeveer 10 tot 12 minuten gaar. Haal uit de oven en laat nog 5
minuten onder aluminiumfolie rusten. Zet de poten eventueel terug in de
oven om ze nog even op te warmen.

4. Snijd het borstvlees met een scherp (fileer)mes van het karkas los.
Verdeel de dijen over vier warme borden, leg de borstfilets ernaast en schep
er wat van het vocht over waarin de dijen zijn gestoofd.

2 fazanten

zout en versgemalen peper

2 eetlepels olijfolie

1 ui, gesnipperd

4 bospeentjes, in stukken gesneden

5 jeneverbessen

1 laurierblad

1 dl witte wijn

0,5 liter warme gevogelte- of wildbouillon

EXTRA NODIG

2 grote braadsleden

aluminiumfolie

Gebraden wilde eend met cranberry's

Wilde eend, zure cranberry's en zoete honing: wat een geweldige combinatie! Wilde eendenpootjes zijn het lekkerst als ze op een laag vuur worden gestoofd. De borstfilets kun je het beste 'op het karkas' braden, zo blijven ze het sappigst.

BEREIDEN

1. Snijd met een scherp mes de boutjes van de eenden. Bestrooi het vlees met zout en peper.

2. Verhit 1 eetlepel olie in een kleine braadpan en bak de boutjes rondom goudbruin. Voeg de uienringen, het laurierblad, 50 ml rode wijn en de bouillon toe. Leg het deksel op de pan en stoof de boutjes op een laag vuur in 1,5 tot 2 uur gaar.

3. Begin 30 minuten voordat de bouten klaar zijn met de bereiding van het borstvlees. Verwarm de oven voor op 200 °C. Bestrooi de eend met het borstvlees met zout en peper. Verhit 1,5 eetlepel olie in een ovenvaste braadpan. Braad de eend rondom goudbruin aan. Haal de eenden uit de pan en giet het vet eruit.

4. Verhit de boter in de pan en fruit hierin de prei 5 minuten. Voeg de cranberry's, de rest van de wijn en de honing toe en breng het geheel aan de kook. Leg dan de eenden met het borstvlees naar boven op de cranberry's. Zet de pan in het midden van de oven en braadt het geheel in 13 minuten gaar.

5. Haal de pan uit de oven en laat het vlees op een warme plaats, losjes afgedekt met aluminiumfolie 5 minuten rusten. Kook intussen de jus met cranberry's tot de gewenste dikte in en voeg naar smaak zout, peper en eventueel nog een beetje honing toe.

6. Snijd met een scherp (fileer)mes het borstvlees van het karkas af. Verdeel de filets en de boutjes over vier warme borden. Schep er de cranberryjus over.

WIJNTIP

Serveer een krachtige rode wijn bij dit wildgerecht. Het liefst een wijn uit de Rhône, zoals een côte-rôtie of een châteauneuf-du-pape.

---

2 wilde eenden

2,5 eetlepel olie

1 kleine ui, in ringen

1 laurierblad

1,5 dl rode wijn

1 dl kippenbouillon

50 gram boter

150 gram prei, fijngesneden

200 gram verse cranberry's

4 eetlepels heidehoning

zout en versgemalen peper

EXTRA NODIG

ovenvaste braadpan

Je kunt de dragon ook door peterselie vervangen.

Gepocheerde kip
met Hollandse spinazie

Met dit recept behoort een te droog kipfiletje voorgoed tot het verleden. Doordat je de magere kipfilet heel zachtjes gaart in bouillon die bijna kookt, behoudt de filet al zijn malsheid. De mierikswortel-dragonroom geeft dit gerecht een bijzondere twist.

BEREIDEN

1. Meng in een kommetje de crème fraîche met de mierikswortel en dragon en voeg naar smaak zout en peper toe.

2. Breng de bouillon in een pan met dikke bodem aan de kook, voeg naar smaak zout en peper toe. Voeg de aardappels en wortels toe en laat het geheel 10 minuten koken. Bestrooi de kipfilets met zout en peper. Leg de filets in de bouillon. Zet het vuur meteen laag en laat ze tegen de kook aan 10-12 minuten garen; laat het vocht niet koken.

3. Verhit de boter in een grote pan en laat de spinazie al roerend slinken. Voeg naar smaak zout en peper toe. Schep de spinazie in een zeef en druk met een pollepel het vocht eruit.

4. Verdeel de kipfilets over vier grote voorverwarmde diepe borden en leg er de wortels, aardappels en spinazie omheen. Schenk in elk bord een klein beetje van de bouillon en schep er wat mierikswortel-dragonroom naast.

WIJNTIP

Kies bij dit gerecht een eenvoudige witte wijn, die lekker zacht is en past bij het malse vlees en de romige crème fraîche. Een vin de table uit het zuiden van Frankrijk bijvoorbeeld.

1 dl crème fraîche

2 eetlepels mierikswortel, versgeraspt

4 eetlepels fijngehakte dragon

zout en versgemalen peper

1 liter kippenbouillon

8 kleine vastkokende aardappels, geschild en gehalveerd

8 bospeentjes, geschrapt en in stukken

4 biologische kipfilets à 150 gram

1 eetlepel roomboter

300 gram spinazie, gewassen

Geroosterde kip met meiknol en bietjes

Alhoewel een echte biologische kip niet goedkoop is, is het zeker de moeite waard om voor dit recept eens zo'n biologische te proberen. De smaak is zo veel rijker en voller dan van je standaard supermarkt-kip dat je versteld zult staan van het eindresultaat.

BEREIDEN

1. Snijd het loof van de bieten, maar gooi het niet weg. Boen de bieten goed schoon. Schenk 1/2 centimeter water op de bodem van een kleine ovenschaal en leg er de bieten in. Sprenkel er 1 eetlepel olie over en strooi er wat zout en peper over. Leg de knoflook en laurierblaadjes ertussen. Dek de schaal af met aluminiumfolie.

2. Verwarm de oven voor op 220 °C. Stop de citroen, 2 laurierblaadjes, 2 teentjes knoflook en de tijm in de buikholte van de kip. Zet de kip in een braadslede en strooi er zout en peper over. Plaats de braadslee in het midden van de oven en zet de bieten op de bodem van de oven.

3. Rooster kip en bieten 10 minuten in de oven. Verlaag dan de oventemperatuur naar 180 °C en braad de kip en bieten in 1 uur gaar. Keer de kip halverwege om zodat deze rondom mooi egaal goudbruin wordt. Prik ook even met een aardappelschilmesje in de bieten om te controleren of ze goed zacht en dus gaar zijn.

4. Bereid de meiknolletjes terwijl de kip en bieten in de oven staan. Was de knolletjes en snijd ze in kleine partjes. Verhit in een koekenpan 2 eetlepels olie en bak de partjes goudbruin aan. Leg een deksel op de pan en stoof ze op een laag vuur in ongeveer 20 minuten gaar. Voeg naar smaak zout en peper toe. Was de bladeren van de bieten en laat ze uitlekken in een vergiet.

5. Haal de bieten uit de oven en snijd ze in parten. Verdeel enkele bieten-bladeren over vier voorverwarmde borden en schep er de bietjes en meiknolletjes op. Serveer de kip op een mooie grote schaal en snijd deze aan tafel in stukken.

WIJNTIP

Een fijne lichtgekoelde wijn van het type beaujolais: fris en fruitig maar wel zacht.

1 biologische kip (van ongeveer 1,5 kg)
1/2 citroen
4 laurierblaadjes
3 teentjes knoflook, gepeld
4 kleine jonge rode bieten met loof
5 takjes tijm
10 meiknolletjes
3 eetlepels olijfolie

EXTRA NODIG
braadslede (ingevet)
kleine ovenschaal
aluminiumfolie

Gestoofde eendenbout met bospeen

Door het langzame stoven worden deze eendenbouten heel lekker mals. De wortels geven een zoete smaak aan dit gerecht en zoet past altijd goed bij eend.

BEREIDEN

1. Verwarm de oven voor op 200 °C. Bestrooi de eendenbouten met zout en peper. Bak in een braadpan de bouten op de velkant op een matig vuur in 5 minuten lichtbruin. Omdat het vel van de eend veel vet bevat, hoef je geen olie toe te voegen. Leg de eendenbouten in een braadslede.

2. Schrap de wortels. Snijd de knolselderij in blokjes van 2 centimeter. Leg de wortels en blokjes knolselderij bij de eend in de braadslede. Stop er de laurierblaadjes, knoflook en tijm tussen. Schenk de wijn erbij, dek de schaal af met aluminiumfolie. Plaats de ovenschaal ongeveer 1,5 uur in het midden van de oven tot het vlees gaar is.

3. Verdeel de eendenbouten en groenten over vier voorwarmde borden en serveer er de gebakken spitskool met appel en komijn bij (zie pagina 52).

WIJNTIP

Kies een traditioneel wijn, bijvoorbeeld een rode bourgogne of een cru uit de Beaujolais, zoals fleurie of chiroubles.

4 kleine tamme eendenbouten

1 bos bospeen

½ knolselderij, geschild

2 laurierblaadjes

2 teentjes knoflook

10 takjes tijm

3,5 dl witte wijn

EXTRA NODIG

braadslede

aluminiumfolie

Parelhoen met laurierzout en abrikozen

De geur van verse laurier is heel aromatisch en verfijnd. Samen met de abrikozen geeft het laurierzout een heel speciaal tintje aan het parelhoen. Dien het gerecht met geurige basmatirijst op.

BEREIDEN

1. Verwarm de oven voor op 220 °C. Stop de citroen en knoflook in de buikholte van het parelhoen. Bind de vogel op met keukentouw, zodat de poten netjes bij elkaar gebonden zijn.

2. Stamp de laurier en het zeezout in een vijzel tot een fijn groen poeder. Smeer het parelhoen rondom goed met het laurierzout in. Leg de vogel in een braadslede en maal er verse peper over. Plaats de braadslede in het midden van de oven en rooster het parelhoen 10 minuten.

3. Verlaag de oventemperatuur naar 180 °C en rooster het parelhoen in 45 minuten gaar; keer de vogel na 20 minuten voor een egaal en goudbruin resultaat.

4. Laat intussen de abrikozen 30 minuten in warm water wellen. Breng ze dan met enkele eetlepels van het weekvocht in een pannetje aan de kook en laat ze 10 minuten zachtjes koken.

5. Verdeel het parelhoen in stukken: snijd eerst de poten ervan af en snijd daarna het borstvlees los. Verdeel het vlees over de borden en schep de abrikozen ernaast.

TIP
Jamies goede vriend Peter Begg heeft me verteld hoeveel smaak de verse laurierbladeren aan het zout geven.

1 parelhoen
$\frac{1}{4}$ citroen
2 teentjes knoflook, gepeld
4-6 verse laurierblaadjes
2 eetlepels zeezout
versgemalen peper
10 gedroogde abrikozen

EXTRA NODIG
keukentouw
vijzel
braadslede

Voor een extra 'kick' sprenkel je wat balsamico-azijn
over de groenten na het roosteren.

Piepkuiken
met vergeten groenten

Een aantal groentesoorten in Nederland verdwijnen omdat veel mensen denken dat ze te ingewikkeld zijn om klaar te maken. Maar niets is minder waar! Dit gerecht combineert enkele van deze groenten met sappige piepkuikens. Lekker met peterselie-knoflookolie! Stamp hiervoor in de vijzel een handje peterselieblaadjes en een teentje knoflook fijn. Voeg olijfolie naar smaak toe.

BEREIDEN

1. Verwarm de oven voor op 220 °C. Schrap de wortels en schil de pastinaken, aardperen en knolselderij. Snijd de groente in grote stukken van gelijke grootte. Schep alle groenten in een ovenschaal en meng ze goed met 3 eetlepels olie, de laurierblaadjes en de tijm. Voeg zout en peper naar smaak toe. Dek de schaal af met aluminiumfolie en rooster de groenten in het midden van de oven in 40 minuten gaar. Schep af en toe om.

2. Knip intussen de piepkuikens aan de platte kant met een (wild)schaar open. Leg de piepkuikens met de binnenkant naar beneden naast elkaar op een bakplaat. Druk met de palm van je hand de piepkuikens voorzichtig plat. Smeer de kuikens goed in met de rest van de olie en strooi er zout en peper over.

3. Haal de groenten uit de oven en verhoog de temperatuur naar 250 °C. Plaats de bakplaat met de piepkuikens in het midden van de oven en rooster de vogels in 30 minuten goudbruin en gaar.

4. Haal de piepkuikens uit de oven en dek ze af met het aluminiumfolie dat je van de groenten afhaalt. Zet de groenten terug in de oven om ze nog even op te warmen.

5. Schep de warme groenten op een grote schaal en leg er de piepkuikens op.

WIJNTIP

Serveer bij dit gerecht een niet te zware rode wijn uit de Beaujolais. Of een rode of witte cheverny, een streekwijn uit de Loire.

HOOFDGERECHT
4 PERSONEN

½ bos bospeen
2 pastinaken
1 knolselderij
4 aardperen
5 eetlepels olijfolie
2 laurierblaadjes
3 takken tijm
zout en versgemalen peper
4 piepkuikens

EXTRA NODIG
grote ovenschaal
aluminiumfolie
wildschaar
(of een stevige, grote gewone schaar)

Tamme eend met sterappelcompote

Door eend langzaam te roosteren wordt het vlees heel zacht en dat is erg lekker. Eend laat zich goed met de friszoete sterappel combineren. Sterappel is een oud ras met een bijzonder mooie geur en delicaat aroma. De compote krijgt door dit appeltje bovendien een mooie, lichtroze kleur. Koop je de eend bij de poelier, vraag dan de lever mee. Bak deze even in boter en serveer hem erbij.

BEREIDEN

1. Verwarm de oven voor op 150 °C. Bestrooi de eend rondom met zout en peper. Stop de tijm, knoflook, sjalot in de buikholte van de eend.

2. Leg de eend in een braadslede en rooster hem in 3 uur gaar. Heb je een ovenrooster, zet de eend dan daarop, want dan wordt ook de onderkant mooi krokant.

3. Maak intussen de sterappelcompote. Snijd de appeltjes in vieren, verwijder de klokhuizen en snijd elk partje nog een keer doormidden. Stoof de appels, met het kaneelstokje en de suiker op een laag vuur in ongeveer 15 minuten tot een compote. Verwijder het kaneelstokje.

4. Snijd de eend aan tafel in stukken: snijd eerst de poten er vanaf en snijd vervolgens voorzichtig het borstvlees van het karkas los. Dien er de appelcompote bij op.

WIJNTIP

Hier past een wijn bij die niet te sterk contrasteert met het zoete van de sterappel, een zijdezachte rode bourgogne of een lekkere rode wijn uit de Ardèche.

1 tamme eend, schoongemaakt en
   op kamertemperatuur
3 takjes tijm
3 teentjes knoflook, gepeld
1 sjalot, gepeld en gehalveerd
8 sterappels
1 kaneelstokje
2 eetlepels suiker
zout en versgemalen peper

EXTRA NODIG
braadslede

Wijn uit Wageningen

De gemiddelde wijnhandelaar en wijndrinker vinden Nederlandse wijn nog steeds een curiosum: leuk voor af en toe, maar qua smaak niet te vergelijken met wijn uit traditionele wijnlanden.

Jan en Els Oude Voshaar, wijnboeren in Wageningen vinden dit een achterhaald idee: in Nederland valt wel degelijk goede wijn te maken. Zij verbouwen al jaren biologische wijn op de Wageningse Berg. Voordat ze dit in 1998 professioneel gingen doen, hebben ze een aantal jaar ervaring opgedaan met experimentele wijnbouw op volkstuintjes.

Wijnbouw staat in ons land nog in de kinderschoenen en dat komt natuurlijk vooral door het klimaat. Het regent namelijk al in september. Dat is de oogstperiode en regen is funest voor een goede oogst. Jan en Els ontdekten bij toeval druivenrassen die vroeger in het jaar geoogst kunnen worden en omzeilen dus dat probleem.

Jaarlijks wordt zesduizend liter wijn gemaakt van de druiven op de Wageningse Berg; vierduizend liter rood, duizend liter wit en duizend liter rosé. De wijn wordt voor het grootste deel al voor productie via een wijnabonnement verkocht. Abonnees verstrekken een lening aan de wijngaard en ontvangen daarvoor vijf jaar lang één doos Wageningse wijn per jaar. Een opzet die ook veel in het buitenland wordt gebruikt door wijnbouwers. De boer beperkt zijn risico's als beginnende wijnbouwer; hij ontvangt het geld ruim voordat de wijn wordt afgeleverd.

Het wijnabonnement bleek zo'n groot succes dat er tot 2004 zelfs geen wijn beschikbaar was voor de losse verkoop. Jan en Els hebben een hechte band met hun klanten. "Dat is heel belangrijk. In 2005 hebben we bijvoorbeeld de oogst kunnen redden met de hulp van zo'n tachtig vrijwilligers. We hadden door een paar hevige hagelbuien nogal wat schade opgelopen en die hebben we binnen enkele dagen kunnen herstellen. Zonder de hulp van die mensen hadden we dat met zijn tweetjes nooit gered. Heel bijzonder."

Het is maar goed dat de Wageningse Berg kan rekenen op de hulp van zoveel mensen want hun wijnen zijn zeker de moeite waard. De rode Regent, opgevoed op hout, is een stevige wijn die mooi combineert met het boven houtskool geroosterd runderribstuk van pagina 188 of de lamsbout van pagina 219. De witte Merzling, bleekgeel van kleur, combineert uitstekend met de gegratineerde mosselen van pagina 119. Daarnaast produceren Jan en Els nog een frisse rosé die erg lekker is bij de Hollandse kropsla met tuinbonen en muntolie van pagina 35. Opvallend: van de restproducten wordt een 'origineel Hollandse' grappa gemaakt, echt vuurwater voor bij de koffie. Lekkere Nederlandse wijn bestaat wel degelijk.

Vlees

De liefde van de boer

Net als bij vis houd ik ook bij vlees het meest van een pure bereiding. Met ingrediënten van goede kwaliteit zodat je al dat moois ook echt proeft.

Vee op een verantwoorde manier houden, voeden en ver- werken kost nu eenmaal veel geld. Maar je kunt rustig stellen dat vlees van dieren die zo worden grootgebracht, veel beter smaakt. Ik ben dan ook een groot voorstander van minder vaak vlees eten. Eet liever drie keer per week een puur, eerlijk stuk vlees dan zes keer in de week vlees van mindere kwaliteit. En wees kritisch. Hoe beter de kwaliteit van het vlees, des te makkelijker de bereiding. Je hoeft immers veel minder toe te voegen. Zout, peper en boter is al voldoende. En het klinkt misschien idealistisch, maar als genoeg mensen deze kritische houding zouden hebben, dan gaat de kwaliteit van het aanbod van vlees uiteindelijk omhoog.

De veehouders die ik ken zijn echt gek op hun vee, en dan niet alleen in culinaire zin. Als je ze liefdevol hoort spreken over hun beesten en ziet wat ze er allemaal voor over hebben, begrijp je meteen waarom dat vlees echt beter smaakt. Alles, maar dan ook alles staat in het teken van een zo goed mogelijk stukje vlees. Als je mijn runderribstuk proeft, dan proef je niet alleen mijn liefde voor het koken, maar ook de liefde die de boer aan zijn beest heeft gegeven.

Het liefst bereid ik grote stukken vlees, die dan aan tafel aangesneden en verdeeld worden. Door het vlees 'aan het bot' te braden of te stoven blijft het vlees malser en beter van smaak. Dat is de reden dat ik graag lamsbout, ossen- staart of varkensschouder bereid. Bovendien ziet het er prachtig uit. Een goed voorbeeld is het recept van de runder- ribstuk op pagina 188. Eerst grillen boven een houtskool- vuurtje, dan verder garen in de oven en serveren met een ansjovis-peterselie boter. Lekkerder kan haast niet!

Het liefst bereid ik grote stukken vlees, die dan aan tafel aangesneden en verdeeld worden. Door het vlees 'aan het bot' te braden of te stoven blijft het vlees malser en beter van smaak.

Ossenworst met vijf specerijen

Dit is een pittig borrelhapje met Amsterdamse ossenworst, rammenas en mijn zelfgemaakte versie van vijfkruidenpoeder. Je kunt het ook goed als onderdeel van een klein voorgerecht opdienen. Als je geen rammenas kunt krijgen, kun je dit vervangen door rettich.

BEREIDEN

1. Stamp alle specerijen afzonderlijk van elkaar fijn in de vijzel. Schep ze in een leeg jampotje met schroefdeksel en schud de specerijen goed door elkaar.

2. Snijd de rammenas in dunne plakken van ongeveer 2-3 millimeter.

3. Snijd de ossenworst in dikke plakken van ongeveer 1 centimeter. Leg de ossenworst op de plakjes rettich, strooi er een beetje vijfkruidenpoeder over en leg op elk hapje een plukje tuinkers.

3 eetlepels zwarte peperkorrels

0,5 theelepel witte peperkorrels

0,5 theelepel hele kruidnagel

0,5 theelepel all spice

0,5 theelepel korianderzaadjes

½ rammenas (of rettich)

1 ossenworst

½ doosje tuinkers

WAT DRINK JE ERBIJ?

Het pittige van de rettich beperkt je wijnkeuze aanzienlijk. Een koel biertje of oude jenever past er het best bij.

TIP

Het vijfkruidenpoeder dat je bij de toko of bij de supermarkt koopt heeft een iets andere samenstelling. Het bestaat uit steranijs, peper, venkel, kaneel en kruidnagels.

Grillen is mijn favoriet!

Grillen is een hele lekkere manier om eten te bereiden. In korte tijd schroei je op hoge temperatuur en met erg weinig vet je vlees, groenten en vis dicht.

Niet alleen blijft je smaak behouden, ook krijgen je ingrediënten een heerlijk krokant korstje en daar is het om te doen! Zolang je het eten niet zwart blakert, is grillen ook een gezonde manier om voedsel klaar te maken. Je hebt tenslotte maar weinig vet nodig. Grillen kun je op veel manieren doen, te veel om hier allemaal op te noemen. Toch wil ik je graag iets vertellen over een paar methoden die ik veel gebruik.

Allereerst heb je het echte grillen boven een vuurtje van houtskool, de meest authentieke manier om te grillen en mijn favoriet. In de restaurants waar ik heb gewerkt, gebruikte ik de houtskoolgrill vaak om een mooi stuk vlees te bereiden. Je geeft het gerecht hiermee die typische rooksmaak. Ik gebruik de houtskoolgrill ook om een smakelijk korstje te krijgen, waarna ik het vlees op een andere manier verder laat garen. Bij het gebraden runderribstuk van pagina 188 bijvoorbeeld, gril je het vlees eerst op een houtskoolvuurtje en laat je het vervolgens verder garen in de oven. Dat is bij zo'n groot stuk vlees ook wel nodig. Voor het garen van grote stukken vlees heb je een wat gematigder vuur nodig omdat het vlees anders van buiten gaar is maar binnenin nog rauw. Op deze manier krijg je een mooi rosé gebraden stuk vlees.

Een andere manier is grillen met de gietijzeren grillpan. Als je er een wilt aanschaffen, let er dan goed op dat de pan zwaar is en dat de ribbels duidelijk uitsteken, maar niet heel breed zijn. Een goede grillpan is zeker niet goedkoop maar gaat heel lang mee. En als je eenmaal een goeie hebt, wil je die nooit meer kwijt. Op mijn fornuis staat altijd een grillpan zodat ik wat brood kan roosteren of wat groente. Erg makkelijk. Maar wil je de pan goed gebruiken, dan zijn een paar dingen belangrijk. Laat je grillpan voor gebruik altijd op hoog vuur gloeiend heet worden, kwast hem ondertussen heel lichtjes in met wat olijfolie en je bent klaar om te vlammen! Eventueel kun je ook je vlees of vis licht instrijken met wat olie. Hiermee voorkom je dat het blijft plakken aan de pan. Zolang je vlees of vis 'vastzit' aan de pan, is het nog niet gaar. Probeer voorzichtig met een vork of het loskomt en laat het anders nog even liggen. Was je grillpan na gebruik met kokend heet water goed af.

Je kunt bijna alles grillen. Door vis op de huid te grillen, voorkom je dat het vlees snel uit elkaar valt. Bovendien wordt de huid van de vis lekker knapperig. Vette vissoorten zoals zalm, sardientjes of tonijn zijn het makkelijkst om te grillen. Ook groenten van de grill zijn heel lekker. Rooster bijvoorbeeld eens een jonge prei die je kort hebt gekookt of leg brede repen paprika, wat plakken aubergine en een paar groene asperges boven een vuurtje. Schep al deze zomergroenten om in een kom met wat olijfolie en citroen. Simpel en lekker!

Zolang je vlees of vis 'vastzit' aan de grillpan, is het nog niet gaar.

Boven houtskool geroosterd runderribstuk

HOOFDGERECHT
10 PERSONEN

2 kilo runderribstuk
zout en versgemalen peper
200 gram zachte roomboter
2 teentjes knoflook
8 ansjovisfilets (blikje), in stukjes
8 eetlepels fijngehakte bladpeterselie
1 eetlepel olijfolie
citroensap, naar smaak

EXTRA NODIG
keukenmachine
keukentouw
barbecue
houtskool
aanmaakblokjes
braadslede
grillborstel

Ik houd erg van runderribstuk dat boven een houtskoolvuur wordt gegaard. De keren dat ik voor een groep vrienden een groot stuk vlees op deze manier heb gegrild, behoren wat mij betreft tot de beste momenten. Houtskoolvuur geeft het vlees een authentieke rokerige smaak en een mooi donker korstje.

VOORBEREIDEN (1 DAG VAN TEVOREN)

Bind het vlees met keukentouw gelijkmatig en strak op zodat het straks gelijkmatig gaart. Wrijf het ribstuk goed in met zout en peper. Wellicht ontsnapt er hierdoor een klein beetje vocht, maar dit weegt niet op tegen de extra smaak die het vlees erdoor krijgt. Leg het vlees in de koelkast.

BEREIDEN

1. Haal het vlees 4 uur voor de bereiding uit de koelkast.

2. Pureer de boter met de knoflook, ansjovis en peterselie in de keukenmachine tot een gladde, groene boter. Voeg naar smaak zout, peper en citroensap toe. Zet de boter tot gebruik in de koelkast.

3. Steek de barbecue aan: leg 4 aanmaakblokjes tussen nieuw houtskool. Steek de blokjes aan, wacht 1 minuutje en leg een dun blokje houtskool bovenop het aanmaakblokje; zorg er wel voor dat er nog voldoende zuurstof bij kan komen anders brandt het niet. Controleer of de schuifjes van de barbecue aan de onderkant open staan, dit zorgt voor een goede toestroom van zuurstof. Leg het rooster op de barbecue; na 20-25 minuten kun je het vlees erop leggen.

4. Verwarm de oven voor op 180 °C. Zet de braadslede in de oven, zodat hij alvast goed heet wordt. Leg het stuk vlees op de barbecue. Smeer het vlees goed in met olijfolie en rooster het vlees rondom mooi goudbruin. Blijf het vlees met regelmaat keren, zodat het gelijkmatig gaart. Gril het vlees gedurende 10-15 minuten. Haal het vlees van de barbecue en leg het in een braadslede. Zet het vlees nog 30-40 minuten in de oven.

5. Haal het vlees uit de oven en laat het 15 minuten onder aluminiumfolie rusten waarbij je de folie losjes over het vlees heen legt. De warmte moet nog kunnen ontsnappen. Snijd het vlees in plakken en serveer er de peterselieboter bij.

Gegrild Zeeuws spek met zuurkool

Door het gebruik van Zeeuws spek in plaats van klassiek zuurkoolspek wordt deze zuurkoolschotel met appel ineens heel bijzonder. Zeeuws spek is gemarineerd, dan langzaam gegaard en vervolgens krokant geroosterd waardoor het zijn bijzondere smaak krijgt. Serveer dit gerecht bijvoorbeeld bij gebraden fazant (zie pagina 161): een verrukkelijke combinatie.

BEREIDEN

1. Schil de appel, verwijder het klokhuis en snijd het vruchtvlees in 8-10 partjes. Verhit de boter in een hapjespan. Fruit de ui 5 minuten en voeg dan de zuurkool, suiker, kruidnagels en laurierblaadjes toe. Meng alles goed en voeg naar smaak zout en peper toe. Schenk het bier erbij en leg de partjes appel bovenop de zuurkool. Leg een deksel op de pan en stoof het geheel in 30 minuten gaar. Schep de zuurkool nu en dan om. Stoof de laatste 10 minuten de rookworst bovenop de zuurkool mee.
2. Verhit de grillpan. Leg de plakjes spek in de pan en gril ze aan beide kanten goudbruin en krokant.
3. Serveer de zuurkool met het spek ernaast.

WIJNTIP

Zuurkool en elzasser riesling zijn gemaakt voor elkaar. Serveer de wijn niet te koud zodat de aroma's optimaal tot hun recht komen. Ook een altesse uit de Savoie smaakt hier heel goed bij.

TIP

Maak een Nederlandse BLT-sandwich met Zeeuws spek, kropsla en tomaat.

HOOFDGERECHT
4 PERSONEN

1 grote appel
2 eetlepels roomboter
1 ui, grof gesnipperd
500 gram zuurkool
1 eetlepel suiker
5 kruidnagels
3 laurierblaadjes
zout en versgemalen peper
1 dl (bok)bier
200 gram Zeeuws spek,
   in plakken van
0,5 cm dik
1 verse rookworst

EXTRA NODIG
grillpan

Gegrild Zeeuws spek met zuurkool

Gestoofde lamschenkels

Door het lange stoven wordt het vlees supermals. De rijke smaak van lamsvlees blijft behouden doordat het vlees aan het bot wordt bereid. Ik eet dit gerecht het liefst in de lente of vroege zomer, omdat het lamsvlees dan het lekkerst is.

4 lamschenkels

zout en versgemalen peper

2 eetlepels olijfolie

2,5 dl witte wijn

2,5 dl bouillon (kip of vlees)

4 sjalotjes, gepeld en gehalveerd

3 laurierblaadjes

BEREIDEN

1. Bestrooi de lamsschenkels met zout en peper. Verhit de olie in een grote braadpan en braad het vlees rondom goudbruin aan.

2. Haal het vlees uit de pan en leg het op een bord. Schenk bijna al het vet uit de pan. Fruit in het achtergebleven bakvet de sjalotten op een matig vuur enkele minuten. Schenk er dan de witte wijn bij.

3. Schenk er de bouillon bij, leg de schenkels terug in de pan en voeg de laurierblaadjes toe. Dek de pan af en zet het vuur laag. Stoof het vlees in minimaal 3 uur gaar. Keer af en toe om en controleer of er nog voldoende vocht in de pan zit. Doe er eventueel wat warm water bij. Het vlees is het lekkerste als het van het bot af valt.

WIJNTIP

Kies bij dit gerecht een lekkere stevige rode wijn uit bijvoorbeeld de Bordeaux.

Met overgebleven ossenstaart kun je
een heerlijke pastasaus maken.

Gestoofde ossenstaart van de Lindenhoff

Hoe langer je ossenstaart stooft, hoe malser en zachter het vlees wordt. Roer voor een verrassend smaakeffect nog wat versgehakte peterselie, fijngehakte knoflook en sinaasappelrasp in een kommetje door elkaar en strooi dit vlak voor het serveren over de ossenstaart.

BEREIDEN

1. Verwarm de oven voor op 180 °C. Bestrooi het vlees met zout, peper en bloem.

2. Verhit 2 eetlepels olie in een ruime koekenpan en braad op een matig hoog vuur alle stukken ossenstaart rondom goudbruin aan.

3. Leg de stukken ossenstaart naast elkaar in een ovenschaal. Verhit de rest van de olie en fruit de uien en knoflook 5 minuten op een matig vuur. Voeg de wijn, tomatenblokjes en 4 dl warm water toe. Schenk dit mengsel over de ossenstaart en stop de laurierblaadjes ertussen.

4. Dek de schaal af met aluminiumfolie. Stoof de ossenstaarten in het midden van de oven in 4-5 uur gaar. Controleer na ongeveer 2 uur of er nog voldoende vocht in de pan zit en vul dit zonodig aan. Lekker met een ratatouille en aardappelpuree met knoflook.

WIJNTIP

Deze prachtige ossenstaart vraagt om een stevige rode wijn, bijvoorbeeld een Italiaanse valpolicella of barolo. Voor zulk goed vlees is geen rode wijn te exclusief.

DE LINDENHOFF

De Lindenhoff is een bijzondere boerderij in Midden-Nederland. Heel veel horecabedrijven en steeds meer particulieren vinden hun weg naar de prachtige producten die eigenaar Ben te Voortwis en zijn zoon verkopen. Zie ook pagina 196 voor meer informatie over de Lindenhoff..

HOOFDGERECHT
4 PERSONEN

8 stukken ossenstaart van 6 tot 8 centimeter doorsnee
zout en versgemalen peper
2 eetlepels bloem
3 eetlepels olijfolie
2 uien, grofgesnipperd
4 teentjes knoflook, gepeld
2,5 dl rode wijn
400 gram tomatenblokjes (blik)
2 laurierblaadjes

EXTRA NODIG
ovenschaal
aluminiumfolie

Biologische boerderij Lindenhoff

Aan de weg van Abcoude naar Baambrugge ligt boerderij Lindenhoff. In 1974 begon Ben te Voorwis hier zijn biologische boerderij met Gasconne-runderen.

Dat het een succes is, blijkt wel uit zijn indrukwekkende klantenlijst; veel topkoks halen hun rundvlees uit Baambrugge. Maar je kunt bij de Lindenhoff voor meer terecht dan alleen rundvlees. Varkensvlees, kip, boerenboter, groenten, kruiden en zelfs truffels zijn er te koop, mits in het seizoen natuurlijk. Maar de basis is en blijft het vlees.

Ben verzorgt zijn koeien volgens een simpele filosofie: alles zo natuurlijk en authentiek mogelijk. In alle fasen van het productieproces wordt geprobeerd zo dicht mogelijk bij de natuur te staan. De runderen krijgen bijvoorbeeld alleen maar plantaardig voedsel te eten en worden vertroeteld als baby's. Bovendien wordt het vlees na de slacht nog enkele weken afgehangen in een koelcel. Daardoor rijpt het vlees en dit is nodig om een perfecte smaak en malsheid te verkrijgen.

Wanneer ik Lindenhoff-vlees bereid, wil ik de pure smaak van het vlees zoveel mogelijk behouden. Verder dan de ossenhaasrol met tuinkruiden van pagina 217 ga ik eigenlijk nooit. Het vlees is zo rijk van smaak en zo mals dat alleen jus of een lichte kruidensaus genoeg is. Het liefst gril ik een mooi groot stuk rundvlees op houtskool, dat geeft lekker veel smaak aan het vlees. Zulk groot gebraad bestrooi ik dan wel een etmaal van tevoren met peper en zout. Afhankelijk van het seizoen en van mijn gasten geef ik daar verschillende verse groenten bij en eventueel ansjovis-peterselieboter of Oost-Indische kersboter. Verder niets meer aan doen!

Ook het varkensvlees van Lindenhoff is beroemd. Als je ergens in een restaurant 'Baambrugs big' op de kaart ziet staan, komt het van Lindenhoff. Dit varkensvlees smaakt net als het rundvlees geweldig en is heerlijk mals. En als je de kip van Lindenhoff proeft, weet je weer hoe die echt smaakt. De kippen worden dan ook op de perfecte leeftijd - zo rond de honderd dagen - geslacht. Gebruik zo'n Lindenhoff-kip maar eens bij de geroosterde kip op pagina 167: heerlijk!

De producten van de Lindenhoff zijn ook voor particulieren verkrijgbaar. Elke zaterdag is er Lindenhoff Marché en kun je zo naar binnen lopen. Op hun website www.lindenhoff.nl vind je meer informatie.

Hertenbiefstukjes
met knolselderijpuree

Hertenbiefstuk combineert erg goed met de kruidige smaak van knolselderij. Dit is een heel mooi en niet al te ingewikkeld kerstgerecht.

BEREIDEN

1. Verwarm de oven voor op 100 °C. Schil de knolselderij en snijd de knol in ongeveer even grote stukken als de aardappels. Kook de knolselderij en aardappels samen in een grote pan met water en wat zout in 20 minuten gaar. Giet ze af en stamp ze met een pureestamper tot een grove puree. Roer de mosterd en boter erdoor en voeg naar smaak zout en peper toe. Houd de puree afgedekt in de oven warm, terwijl je de biefstukjes bakt.

2. Verwarm vier borden in de oven voor. Bestrooi de hertenbiefstukjes met wat zout en peper. Verhit in een koekenpan de olie en bak het vlees ongeveer 3 minuten per kant. Ze moeten goudbruin van buiten maar rosé van binnen zijn.

3. Verdeel de knolselderijpuree over de voorverwarmde borden en leg het vlees ernaast. Lekker met stoofpeertjes (zie pagina 227).

WIJNTIP

Als je dit gerecht bijvoorbeeld tijdens kerst serveert, hoort daar natuurlijk een feestelijke wijn bij. Een côte-rôtie uit de Rhône is een mooie keuze. Maar ook andere rode, krachtige kwaliteitswijnen uit Bordeaux, Rhône of elders tillen dit gerecht naar een hoger niveau.

500 gram knolselderij

250 gram kruimige aardappels,
  geschild en in stukken

1 eetlepel mosterd

50 gram roomboter

1 eetlepel olijfolie

4 hertenbiefstukjes (à 160 gram)

zout en versgemalen peper

EXTRA NODIG

pureestamper

Hollandse hazenpeper met kruidkoek

Door de kruidkoek wordt de saus gebonden en vol en kruidig van smaak. Gebruik voor deze hazenpeper de beste Friese kruidkoek die je kunt krijgen. Ook gewone ontbijtkoek bindt de saus, maar Friese kruidkoek bevat veel meer specerijen waardoor dit klassiek Nederlandse gerecht karakter krijgt.

BEREIDEN

1. Verwarm de oven voor op 200 °C. Bestrooi de hazenbouten met zout en peper en wentel ze lichtjes door de bloem. Verhit 2 eetlepels olie in een ruime koekenpan en braad de hazenbouten goudbruin aan. Haal het vlees uit de pan en leg de bouten naast elkaar in een ovenschaal.

2. Maak de pan schoon, verhit de rest van de olie en fruit de ui 5 minuten op een matig vuur. Voeg de tomatenpuree en laurierblaadjes toe en bak alles nog een paar minuten Schenk de wijn en bouillon erbij en breng het geheel aan de kook.

3. Verkruimel de kruidkoek boven de hazenbouten en schenk het wijnmengsel erover. Dek de schaal af met aluminiumfolie. Stoof de hazenbouten in het midden van de oven in ongeveer 2 uur gaar.

4. Haal de hazenbouten uit de saus en schenk de saus in een pan. Laat de bouten enigszins afkoelen en pluk het vlees dan van de botjes. Meng het vlees door de saus in de pan.

5. Kook het vlees met de saus op een laag vuur nog ongeveer 10 minuten tot alles goed warm is. Breng het gerecht op smaak met zout en peper. Serveer de hazenpeper met aardappelpuree, stoofpeertjes of Hollandse spruitjes met spekjes.

WIJNTIP

Drink bij dit gerecht een landelijke rode wijn zoals een marcillac, een boerenwijn uit de Aveyron.

4 hazenbouten

6 eetlepels patentbloem

3 eetlepels olijfolie

2 uien, grof gesnipperd

2 eetlepels tomatenpuree (blikje)

2 laurierblaadjes

2,5 dl rode wijn

0,5 liter bouillon (gevogelte of vlees)

150 gram Friese kruidkoek

zout en versgemalen peper

EXTRA NODIG

grote ovenschaal

aluminiumfolie

Stoof rundvlees op een ouderwets 'treefje' ook wel
vlamverdeler genoemd.

In zijn geheel gestoofd sukadestuk

Sukade is een prachtig stuk rundvlees dat erg geschikt is om lang te stoven. Het vlees wordt door de lange stooftijd zo mals dat het bijna smelt in je mond. Serveer de sukade met vers knapperig brood.

VOORBEREIDING (1 DAG VAN TEVOREN)

Wrijf het vlees goed in met zout en peper en laat het 24 uur liggen. Wellicht verliest het vlees hierdoor een klein beetje vocht, maar dit weegt niet op tegen de extra smaak die het vlees erdoor krijgt.

BEREIDING

1. Verhit de olie in een ruime pan met dikke bodem en braad de sukade rondom mooi bruin.

2. Haal het vlees eruit, giet het vet uit de pan maar maak de pan niet schoon. Verhit de boter en fruit de ui 5 minuten. Roer over de bodem om alle aanbaksels los te krijgen. Voeg dan de tomatenpuree, de hele teentjes knoflook, de laurierblaadjes, de rode wijn en het vleesfond toe. Breng alles aan de kook.

3. Leg het vlees terug in de pan en stoof het in 4-5 uur op een heel laag vuur met het deksel op de pan gaar. Keer het vlees tussentijds.

4. Verwarm in een oven van 100°C vier borden voor. Snijd het vlees in dunne plakken en verdeel ze over de borden. Schenk er wat van de jus uit de pan over. Lekker met gestoofde prei met anijszaadjes (zie pagina 75)

WIJNTIP

Bij dit mooie stuk vlees is een krachtige rode wijn het best op zijn plek. Een rode wijn uit de Ardèche, op basis van syrah of grenache is hier lekker bij. Ook de stevige rode regent van de Wageningse berg is er lekker bij.

sukade aan één stuk van ongeveer 1,5 kilo

zout en versgemalen peper

2 eetlepels olijfolie

1 eetlepel roomboter

2 uien, grofgesnipperd

2 eetlepels tomatenpuree (blikje)

5 teentjes knoflook, gepeld

3 laurierblaadjes

3 dl rode wijn

0,5 liter vleesfond

Kalfsgehaktballen met bladselderij

Ik vind een gehaktbal het lekkerst als deze een 'beet' heeft. Deze kalfs-gehaktballen met bladselderij zijn gemaakt van grof gedraaid gehakt (dit kun je gewoon aan de slager vragen). Het kalfsgehakt maakt deze ballen extra bijzonder.

BEREIDEN

1. Verhit de olie in een koekenpan en fruit de ui, knoflook en wortel 5 minuten op een matig vuur. Laat het mengsel op een bord een klein beetje afkoelen.

2. Kneed in een kom het gehakt met alle ingrediënten, behalve de boter en wijn, door elkaar. Voeg zout en peper naar smaak toe. Verdeel het gehakt in 10 gelijke porties en vorm er met je handen mooie ballen van.

3. Verhit de boter in een braadpan. Bak de gehaktballen rondom bruin aan, leg een deksel op de pan en braad de ballen op een vrij laag vuur in ongeveer 15 minuten gaar.

4. Haal de gehaktballen uit de pan en verdeel ze over vier (liefst voorver-warmde) borden. Schenk de witte wijn in de pan en roer alle aanbaksels van de bodem los. Kook de jus 1 minuut door. Serveer de jus bij de gehaktballen.

WIJNTIP

Fijne fruitige rode wijn gaat heel goed bij dit kalfsgehakt. Zo'n lekkere on-gefilterde rode wijn van De Wijnvriend (www.wijnvriend.nl) bijvoorbeeld.

TIP

Maak gerust meer gehaktballen dan nodig. Met de ballen die overblijven, maak je de volgende dag een lekker broodje klaar. Roer een beetje Dijon-mosterd door wat mayonaise en smeer dat op een sneetje brood. Leg er plakjes gehaktbal en een paar blaadjes rucola op en je lunch is klaar!

1 eetlepel olijfolie

1 ui, fijngesnipperd

2 teentjes knoflook, fijngehakt

2 bospenen, in kleine blokjes

1 sneetje zuurdesembrood, in blokjes

500 gram kalfsgehakt (grof gedraaid)

1 ei

3 eetlepels fijngehakte bladselderij

0,5 theelepel kerriepoeder

2 eetlepels roomboter

1 dl witte wijn

Draadjesvlees

Vroeger maakten onze oma's altijd 'draadjesvlees'. En draadjesvlees, of beter gezegd stoofvlees is één van de lekkerste manieren om vlees klaar te maken. Als je het maar góed doet!

Ik maak altijd veel meer dan nodig want je kunt het goed invriezen of een paar dagen in de koelkast bewaren. Het is wel belangrijk dat je de volgende aanwijzingen opvolgt zodat zo'n stoofgerecht goed uit de verf komt

1. Ga naar een echte slager!
Vergeet het vlees van de kiloknallers. Een echte, goede slager kan je precies vertellen welke delen geschikt zijn om te stoven. Kies het liefst vlees met een randje vet en waar het bot nog aan zit. Het vet en het bot zorgen voor een volle smaak en mals vlees. Goed te gebruiken delen zijn ossestaart, lamsschenkels, lamsschouders of varkensnek.

2. Voeg iets zuurs toe
Zuur verhoogt de malsheid van het gerecht. Je kunt daar bijvoorbeeld wijn voor gebruiken, of tomaten. Limburgs zoervleisch (zuurvlees) wordt gestoofd in azijn. Door kruidkoek toe te voegen geef je het gerecht smaak en binding, en het zoetige van de kruidkoek haalt de scherpe kantjes van het zuur eraf. Als je eens wilt weten hoe goed dat smaakt, het

lekkerste zoervleisch eet je bij café Sjiek in Maastricht.

3. Maak stoofvlees twee dagen van tevoren klaar
Twee dagen in de koelkast maakt een stoofgerecht alleen maar lekkerder. En dat is geen fabeltje!

4. Stoof het vlees lang op een zacht vuurtje
Voor elke stoofpot geldt: hoe langer je stooft, hoe lekkerder het gerecht. Ik laat gerechten rustig vier tot soms wel zes uur stoven. Gebruik een vlamverdeler of een 'Oudhollandsch treefje' om je vlees nog langzamer te laten garen. Hierdoor wordt het alleen maar lekkerder. Let wel op dat er niet teveel vocht verdampt. Gebeurt dat toch, dan voeg je gewoon wat warm water of bouillon toe.

5. Wat eet je erbij?
Aardappelpuree met een kuiltje jus en wintergroenten zoals de rode kool van pagina 85 zijn lekker bij stoofvlees. Ik geef altijd graag vers brood bij stoofgerechten zodat je de saus tot het laatste druppeltje kunt opdeppen.

Zuur verhoogt de malsheid van draadjesvlees. Je kunt daar bijvoorbeeld wijn voor gebruiken, of tomaten.

Een perfect stukje rundvlees

Van al het vlees is de biefstuk al jaren het meest gegeten stukje vlees. Gewoon lekker gebakken in ruim boter, met daarbij misschien wat gebakken champignons en een paar sneetjes vers wit brood dat je dept in de boter uit de pan.

Zo at ik het vroeger vaak. In de zeventien jaar dat ik in professionele keukens werk, heb ik ontelbare kilo's rundvlees verwerkt en het ene stuk nog mooier en origineler bewerkt dan het andere. In die periode zijn mij vijf belangrijke basisregels bijgebracht om het vlees perfect op tafel te krijgen:

1. Goed (rund)vlees kost goed geld
Eet het liever minder vaak dan dat je probeert het zo goedkoop mogelijk te krijgen. Goed rundvlees is nu eenmaal duur. En dat is ook wel logisch, want de runderen moeten goed worden gevoed en het vlees moet ruim de tijd krijgen om te rijpen, zodat smaak en malsheid kunnen optimaliseren. Bij boerderij De Lindenhoff (zie pagina 196) bijvoorbeeld hebben ze dit proces perfect onder controle en ik koop daar dan ook graag. Je betaalt wat meer, maar dat is het meer dan waard.

2. Bestrooi het vlees een dag van tevoren met zout en peper
Veel mensen denken dat je door vlees in te zouten vocht onttrekt aan het vlees. Maar dat is minimaal en het vochtverlies weegt echt niet op tegen de extra smaak die het vlees erdoor krijgt.

3. Breng het vlees eerst op kamertemperatuur
Bij een lekkere sappige biefstuk - dus heel kort gebakken - wil je natuurlijk niet alleen een warm knapperig korstje, maar ook dat de binnenkant warm is. Daarom haal ik de biefstukjes meestal twee tot drie uur voordat ze de pan ingaan uit de koeling. Grotere stukken vlees haal ik soms al 's ochtends uit de koelkast.

4. Medium smaakt beter dan rare
Toen ik bij Chez Panisse kookte, kwam Alice Waters de keuken in om ons het verschil te laten proeven tussen een medium en een rare gebakken biefstuk. Hoewel veel mensen hun biefstuk rare bestellen, overtuigde Alice ons ervan dat dit zonde is. Het is eigenlijk een keuze tussen malsheid (rare) en smaak (medium). Ik kies dan toch liever voor smaak.

5. Laat grote stukken vlees na het bereiden tien tot vijftien minuten 'rusten'.
Groot gebraad zoals een runderribstuk of een ossenhaas (pagina 217) leg je na het braden losjes onder een stuk aluminiumfolie. Hierdoor kan het vlees even tot 'rust' komen zodat alle smaak en sappen optimaal op je bord komen. Dit geldt ook voor gevogelte dat je in zijn geheel braadt.

Kijk voor meer informatie op www.chezpanisse.com.

Katenspek met verse kapucijners

Met dit hoofdgerecht doe je iedereen versteld staan. Doordat je het spek zachtjes op de groenten stooft, vermengen alle smaken zich heel mooi. De appelstroop en de gele blaadjes van de bleekselderij, die je aan het eind toevoegt, maken dit gerecht helemaal af.

BEREIDEN

1. Verwarm de oven voor op 200 °C. Schrap de wortels en snijd de boven-kanten eraf. Pluk de gele blaadjes van de bleekselderijstengels en bewaar ze in een afgedekt kommetje in de koelkast. Snij de bleekselderij in stukken van 5 centimeter lang. Verdeel de wortels en bleekselderij over de bodem van een ovenschaal. Leg de plakken spek naast elkaar op de groenten. Schenk de wijn erover en verdeel de knoflook en laurierblaadjes erover.

2. Dek de schaal af met aluminiumfolie en stoof het geheel in het midden van de oven in 1,5-2 uur gaar.

3. Dop intussen de kapucijners. Kook ze in een pan met water en wat zout in 8-10 minuten gaar.

4. Verdeel het spek over vier voorverwarmde diepe borden, schep de groenten erop en verdeel de kapucijners erover. Schep op elk bord 1 eetlepel stoofvocht en 1 eetlepel appelstroop. Strooi er tenslotte de gele bleekselderij-blaadjes en versgemalen zwarte peper over. Lekker met gegrild zuurdesem brood (ingewreven met een teentje knoflook) en een groene salade.

WIJNTIP

Kies bij dit gerecht een niet te zware rode wijn, zoals een chiroubles uit de Beaujolais of een mooie fles rode bourgogne uit bijvoorbeeld Savigny-les-Beaune.

10 bospeentjes

het gele hart van 1 struik bleekselderij
  (inclusief de blaadjes)

4 dikke plakken katenspek, 1 centimeter dik

3 teentjes knoflook, gepeld

2 laurierblaadjes

1 kilo verse kapucijners in de dop

4 eetlepels rinse appelstroop

1 dl droge witte wijn

zout en versgemalen zwarte peper

EXTRA NODIG
aluminiumfolie

Konijn gestoofd in Texels Skuumkoppe

Deze Hollandse stoofschotel is door het gebruik van Texels Skuumkoppe heel bijzonder. Dit heerlijke lichtzoete bier wordt alleen op Texel gebrouwen. Je kunt het eventueel vervangen door een licht trappistenbier. Als je geen konijn kunt krijgen, gebruik dan kippenbouten zonder vel.

BEREIDEN

1. Bestrooi de konijnenboutjes met zout en peper. Verhit de olie in een braadpan en bak het vlees rondom goudbruin aan.

2. Haal de boutjes uit de pan en leg ze op een bord. Verhit de boter in de pan en fruit de ui 5 minuten. Leg de boutjes bij de ui, schenk het bier erover en stop de laurierblaadjes en jeneverbessen ertussen. Breng het geheel aan de kook, draai het vuur laag en leg het deksel schuin op de pan. Stoof de boutjes in 40 minuten zachtjes gaar.

3. Verdeel de konijnenboutjes over vier voorverwarmde borden en schep de saus erover. Lekker met knolselderijpuree (zie pagina 199) en romige cantharellen met groene bonen (zie pagina 99).

WAT DRINK JE ERBIJ?

Drink bij dit gerecht hetzelfde bier als dat je hebt gebruikt om het konijn in te stoven.

4 tamme konijnenboutjes

zout en versgemalen peper

1 eetlepel olijfolie

1 eetlepel roomboter

2 uien, grofgesnipperd

2,5 dl bier (bijvoorbeeld Texels Skuumkoppe)

2 laurierblaadjes

5 jeneverbessen

De gebakken asperges kun je ook heel goed met plakjes gedroogde ham
en een toef veldsla als voorgerecht serveren.

Krokant gebakken asperges met lamskoteletten

Doordat je de asperges in roomboter bakt, karameliseren de suikers in de asperges en krijgen ze een mooie bruine kleur. In combinatie met het lamsvlees is dit een prachtig gerecht waarin je de Hollandse lente optimaal proeft. Lekker met veldsla en partjes citroen.

500 gram nieuwe Opperdoes aardappels

750 gram asperges

3 eetlepels roomboter

1 eetlepel suiker

zout en versgemalen peper

12 lamskoteletten

1 teentje knoflook, geperst

5 eetlepels fijngehakte bladpeterselie

EXTRA NODIG

grillpan

BEREIDEN

1. Was de aardappels, snijd grote exemplaren doormidden. Kook de aardappels in een pan met water en wat zout in ongeveer 20 minuten gaar. Giet het kookvocht af en laat de aardappels uitdampen.

2. Schil intussen de asperges met een dunschiller vanaf vlak onder het kopje naar beneden toe. Snijd de houtachtige uiteinden er vanaf (ongeveer 2 centimeter). Snijd ze vervolgens in schuine reepjes van 3 millimeter dik.

3. Verhit 2 eetlepels boter in een koekenpan. Voeg de asperges en de suiker toe en bak de groente onder af en toe doorscheppen op een hoog vuur in ongeveer 10 minuten goudbruin en krokant. Voeg zout en peper naar smaak toe.

4. Strooi intussen zout en peper over de lamskoteletten, verhit de grillpan en gril de koteletten 3 minuten per kant tot ze goudbruin en rosé zijn.

5. Laat 1 eetlepel boter in een koekenpan smelten, voeg de knoflook en peterselie toe en meng er de aardappels door. Schep de aardappels goed om tot ze allemaal met de knoflook-peterselieboter zijn bedekt. Voeg naar smaak zout en peper toe. Verdeel de asperges over vier voorverwarmde borden. Leg er de lamskoteletten en aardappels naast.

WIJNTIP

Kies voor dit uitgesproken lentegerecht een lichte barbaresco uit het Italiaanse Piemonte. Laat je goed voorlichten door je wijnhandelaar want barbaresco kan ook vrij krachtig zijn.

Ossenhaasrol met tuinkruiden

Dit prachtige stuk vlees, op smaak gebracht met verschillende tuinkruiden, is heel erg geschikt voor feestelijke gelegenheden. Het mooiste en dikste stuk van de ossenhaas is de chateaubriand. Vraag de slager of hij dit voor je af kan snijden. Je kunt het vlees ook in dunne plakjes met een kleine salade als voorgerecht opdienen.

BEREIDEN

1. Verwarm de oven voor op 180 °C. Verhit in een kleine koekenpan 1 eetlepel olie en fruit de sjalotten 5 minuten, laat ze niet bruin worden. Schep de sjalotten op een bord en laat ze afkoelen.

2. Snijd met een scherp mes de ossenhaas open zoals aangegeven op de foto's. Je hebt nu een grote lap vlees van ongeveer 1 centimeter dik.

3. Bestrooi het vlees met zout en peper. Druppel er wat olijfolie over en wrijf de olie er met je vingers goed in. Verdeel de sjalotten gelijkmatig over het vlees en strooi de kruiden erover. Rol het vlees op en bind met keukentouw het vlees op tot een rol.

4. Verhit in een koekenpan de rest van de olie en braad het vlees rondom bruin aan. Leg het stuk vlees in een ovenschaal en braad het in het midden van de oven in ongeveer 15 minuten rosé. Haal het vlees uit de oven en laat het onder aluminiumfolie ca. 5 minuten rusten. Snijd het vlees in 4 plakken en dien het meteen op.

WIJNTIP

Toen ik dit gerecht maakte op de huwelijksdag van Job en Helen schonken we er bij een waanzinnig lekker glas Italiaanse valpolicella bij.

TIP

Dit is een makkelijk gerecht voor als je mensen te eten krijgt. Je kunt het namelijk tot en met het aanbraden helemaal voorbereiden. Vlak voor het opdienen hoeft het vlees dan alleen nog maar even de oven in.

3 eetlepels olijfolie extra vierge
4 sjalotten, gesnipperd
600 gram ossenhaas
  (bij voorkeur de chateaubriand)
zout en versgemalen peper
2 eetlepels fijngehakte dragon
2 eetlepels fijngehakte bladpeterselie
2 eetlepels fijngehakte basilicum
2 eetlepels fijngehakte bieslook
2 eetlepels marjolein, fijngehakt

EXTRA NODIG
keukentouw
ovenschaal
aluminiumfolie

Texels lamsbout met rozemarijn

VOORBEREIDEN VLEES

1. Wrijf de lamsbout goed in met zout en peper. Wellicht ontsnapt er hierdoor een klein beetje vocht, maar dit weegt niet op tegen de extra smaak die het vlees erdoor krijgt. Leg de bout afgedekt in de koelkast.

VOORBEREIDEN JUS

1. Doe de lamsbotten in een pan, schenk er zoveel koud water bij tot de botten ruim onder water staan. Breng het water aan de kook. Voeg, op 1 takje rozemarijn en de boter na, de rest van de ingrediënten voor de jus toe. Zet het vuur laag en laat de bouillon ongeveer 4 uur zachtjes trekken. Schuim de bouillon tijdens de hele kooktijd elke 15 minuten met een schuimspaan af.

2. Schenk de bouillon boven een andere pan door een zeef. Breng de gezeefde bouillon aan de kook en kook het in tot er 0,5 liter is overgebleven. Zeef de ingekookte bouillon weer boven een andere pan en bewaar de bouillon tot gebruik in de koelkast.

BEREIDEN

1. Haal de bout enkele uren voor het braden uit de koelkast.

2. Verwarm de oven voor op 210 °C. Wrijf de olijfolie goed in het vlees. Maak met een scherp mesje op verschillende plekken in het vlees inkepingen van een paar centimeters diep. Steek in de inkepingen enkele toefjes rozemarijn en plakjes knoflook.

3. Leg de lamsbout in een braadslede en rooster het vlees in het midden van de oven 10 minuten. Verlaag de oventemperatuur naar 175 °C. Rooster de bout nog 40-50 minuten en draai het vlees halverwege om. Haal de lamsbout uit de oven en laat het onder aluminiumfolie 15 minuten rusten.

4. Ris de naaldjes van 1 takje rozemarijn, voeg ze toe aan de ingekookte lamsbouillon en breng deze aan de kook. Breng de jus op smaak met zout en peper en voeg eventueel een extra scheutje rode wijn toe. Haal de pan van het vuur, roer met een garde de koude blokjes boter er door en schenk de lamsjus in een kom.

5. Snijd de lamsbout van het bot af en snijd het vlees in plakjes. Verdeel de plakjes over de borden en schep er de hete lamsjus overheen.

HOOFDGERECHT
10 PERSONEN

1 lamsbout met been (ca. 2250 gram)
3 takjes rozemarijn
3 teentjes knoflook, gepeld en in dunne plakjes
1-2 eetlepels olijfolie
zeezout en versgemalen peper

VOOR DE LAMSJUS

1,5 kilo lamsbotten
1 ui, in grove stukken
½ stengel prei, in ringen
100 gram knolselderij, geschild en in blokjes
2 stengels bleekselderij, in plakjes
100 gram winterwortel, geschrapt en in plakjes
3 teentjes knoflook, gepeld
2 laurierblaadjes
2 takjes rozemarijn
1 blikje tomatenpuree
150 ml rode wijn
50 gram koude roomboter in blokjes

EXTRA NODIG

zeef
braadslede
aluminiumfolie

Zuivel & zoet

Zuivel en zoet

De kazen waar Nederland om bekend staat, zijn niet altijd de mooiste kazen die er in ons land worden gemaakt. Net als voor veel andere producten geldt ook voor kaas dat je goed moet zoeken om de juweeltjes te vinden.

Bijvoorbeeld de Olde remeker van pagina 235. Een kaas die wordt gemaakt van melk van een bijzonder koeienras. Van Olde remeker wordt maar weinig gemaakt, dus je komt er niet altijd even makkelijk aan. Dat geldt ook voor de geiten-kaasjes van de Wolverlei (zie pagina 242), waarvan de geiten maar liefst dertien soorten kruiden te eten krijgen.

In Frankrijk is het traditie om tussen hoofdgerecht en dessert een stukje kaas te nuttigen. Wij kennen die traditie niet, maar een pittig stukje boerenkaas na het hoofdgerecht sla ik niet snel af. De smaak van boerenkaas is zo krachtig dat een klein stukje genoeg is. Dat is mooi, want zo hou je ruimte over voor het dessert.

Ook voor desserts zijn er voldoende lekkere Hollandse vruchten te verkrijgen. In de zomer werk ik graag met rood zomerfruit. Je proeft de zon in een dessert met aardbeien (pagina's 253, 269, 273) of frambozen (pagina 255). En dat zomerfruit combineert weer goed met een heerlijke biologische crème fraîche of room. Ook van Nederlandse makelij.

Zowel voor de kazen als voor fruit, flensjes, chocola (natuurlijk!) en zelfs voor paprika vind je in dit hoofdstuk leuke en lekkere recepten.

Cranberryjam

Deze zoete jam is perfect voor het kerstontbijt. Omdat je een vrij kleine hoeveelheid maakt met dit recept is het niet nodig de pot te steriliseren voordat je de jam erin schept.

ONTBIJT
4 PERSONEN

225

BEREIDEN
Breng alle ingrediënten in een pan met deksel zachtjes aan de kook. Laat het geheel op een laag vuur ongeveer 10 minuten doorkoken tot het dikker is. Haal de pan van het vuur en laat de jam afkoelen.

200 gram verse cranberry's
1 vanillestokje, opengesneden
75 gram geleisuiker speciaal
50 ml mandarijnensap
  (pers de mandarijn als een sinaasappel)

Hartige cranberryjam

Deze hartige versie van cranberryjam wordt traditioneel bij wild gegeten. De jam smaakt bijvoorbeeld goed bij de eend van pagina 163 of het konijn gestoofd in Texels Skuumkoppe van pagina 213.

BIJGERECHT
4 PERSONEN

BEREIDEN
Breng alle ingrediënten in een pan met deksel zachtjes aan de kook. Laat het geheel op een laag vuur ongeveer 10 minuten doorkoken.

200 gram verse cranberry's
1 kaneelstokje
50 gram geleisuiker speciaal
1 dl rode port
75 g prei, fijngesneden

Lekker als dessert met kaneelijs.

Stoofpeertjes

Stoofpeertjes stonden bij ons elke winter weer op het menu. Onze buurman had altijd kisten vol in de schuur staan en deelde die met veel plezier uit, omdat hij het zelf ook niet allemaal kon opeten. De witte Merzling, een Nederlandse biologische wijn van de Wageningse berg, is licht en fruitig en dus heel erg geschikt voor het stoven van deze peertjes, maar een andere fruitige witte wijn is natuurlijk ook prima. Dien de peertjes als nagerecht met kaneelijs op of serveer ze als bijgerecht bij de hertenbiefstukjes (zie pagina 199) op

BEREIDEN

1. Schil de stoofperen, laat het steeltje zitten maar snijd met een mesje het kroontje aan de onderkant weg.

2. Schil de citroen met een dunschiller (alleen het geel) en knijp het sap boven een pan uit. Voeg de citroenschil, suiker en kaneelstokjes toe. Schenk de wijn erbij en zet de peren rechtop naast elkaar in de pan. Breng het geheel zachtjes aan de kook en stoof de peren op een heel laag vuur in 45 minuten gaar met het deksel schuin op de pan.

3. Controleer met een scherp mesje of de peertjes gaar zijn. Laat ze in het vocht afkoelen.

WIJNTIP

Als je dit gerecht als nagerecht serveert, past een laat geplukte tokay pinot gris uit de Elzas goed of een andere wijn die gemaakt is van druiven die laat zijn geoogst.

8 kleine stoofperen
  (bij voorkeur Gieser Wildeman)
½ citroen, schoongeboend
175 gram suiker
2 kaneelstokjes
1 fles witte wijn

Kruidige eiersalade

Iedereen kent de 'kleffe' eiersalades uit de supermarkt. Deze salade is veel grover dan de supermarktversie. Zo proef je de afzonderlijke ingrediënten beter en ziet het er ook nog eens veel smakelijker uit! Lekker met vers brood en veldsla.

BEREIDEN

1. Hak de eieren grof. Roer in een kommetje de eieren met de mayonaise en kruiden door elkaar. Voeg zout en peper naar smaak toe.
2. Verhit de grillpan. Bestrijk de sneetjes brood met olie en rooster ze aan beide kanten goudbruin. Verdeel de eiersalade over het warme brood.

LUNCHGERECHT
4 PERSONEN

6 hardgekookte eieren, gepeld
1,5 eetlepel mayonaise
2 eetlepels fijngehakte bieslook
2 eetlepels fijngehakte kervel
zout en versgemalen peper
4 sneetjes zuurdesembrood
2 eetlepels olijfolie

EXTRA NODIG
grillpan

Heel bijzonder met Fries roggebrood!

Doruvael met Fries roggebrood

Dit gerecht bewijst dat je van iets simpels iets bijzonders kan maken als je maar eerste klas ingrediënten kiest. Petit-Doruvaelkaas (DOor RUilverkaveling VAn ELders) is de enige roodschimmelkaas die in Nederland op de boerderij mag worden gemaakt. Je koopt deze kaas bij de speciaalzaak. Heel bijzonder met Fries roggebrood!

BEREIDEN

1. Was de veldsla goed in ruim koud water. Droog de sla in de sladroger.

2. Besmeer de sneetjes roggebrood met wat boter. Snijd de kaas in dunne plakken en verdeel deze over 4 sneetjes roggebrood. Verdeel de sla over de kaas en leg de rest van de sneetjes roggebrood erop.

3. Snijd de broodjes schuin doormidden, zodat je sandwiches krijgt.

WIJNTIP

Bij deze kaas kun je het best een niet als te droge witte wijn drinken, zoals een chardonnay uit Chili of Zuid-Frankrijk (niet houtgerijpt).

4 PERSONEN

50 gram veldsla
8 sneetjes Fries roggebrood
4 eetlepels roomboter
300 gram Doruvael kaas

EXTRA NODIG
sladroger

Leidse-kaaspoffertjes

Deze poffertjes zijn van een geheel andere orde dan de poffertjes waar kinderen meestal dol op zijn. Door de komijnekaas en tijm is dit meer een borrelhapje voor volwassenen dan een kindertraktatie.

BEREIDEN

1. Klop in een kom met een mixer de poffertjesmix met de melk en het ei tot een glad beslag. Voeg de tijm en cayennepeper toe en roer het beslag goed door. Schenk het beslag in een maatbeker.

2. Verhit de poffertjespan, bestrijk de kuiltjes licht met olie. Schenk het beslag in de kuiltjes. Strooi op elk poffertje een beetje geraspte kaas.

3. Bak de poffertjes op een matig vuur tot de onder onderkant goudbruin is en de poffertjes van de pan los komen. Draai elk poffertje met een vork om en bak de andere kant goudbruin.

4. Bak net zoveel poffertjes tot het beslag en de kaas op zijn of bewaar het beslag afgedekt in de koelkast voor de volgende dag. Serveer de warme poffertjes direct.

HAPJE

4 PERSONEN

½ pak poffertjesmix

4 dl melk

1 ei

1 theelepel tijmblaadjes

½ theelepel cayennepeper

2 eetlepels olijfolie

75 gram Leidse kaas, geraspt

EXTRA NODIG

mixer

poffertjespan

kwastje

Olde remeker
met aubergine-komijndip

Olde remeker is hele bijzondere boerenkaas. De kaas wordt gemaakt op Boerderij 'De grote Voort' in Lunteren. Doordat alleen grasmelk (melk van koeien die buiten grazen en veel vers gras eten) van Jerseykoeien wordt gebruikt voor deze kaas en doordat de kaas erg lang mag rijpen, heeft Olde remeker een geheel eigen smaak. De combinatie van de Olde remeker, een kaas die minstens 18 maanden gerijpt heeft, en de aubergine-komijndip is heel bijzonder. Serveer dit zeker een keer aan liefhebbers van komijnekaas!

BEREIDEN

1. Snijd de aubergine in plakken van 1-2 centimeter dik. Strooi er zout over en laat de aubergine 15-20 minuten staan. Dep met keukenpapier het vocht van de aubergine. Verhit de grillpan. Bestrijk de plakken aubergine met wat olie en gril ze aan beide kanten goudbruin en gaar. Laat ze een beetje afkoelen.

2. Rooster in een kleine droge koekenpan het komijnzaad. Stamp de helft van de zaadjes fijn in een vijzel; schep de andere helft in een kommetje.

3. Pureer in een keukenmachine de aubergine, met de fijngemalen komijn, de knoflook, en 2 eetlepels olie tot een gladde massa. Voeg naar smaak citroensap, zout en peper toe. Schep de aubergine in een klein kommetje en strooi er de achtergehouden komijnzaadjes over.

4. Snijd de kaas in dikke plakken en serveer ze met de dip.

WAT DRINK JE ERBIJ?

Een koud glas bier of (oude) jenever past goed bij dit borrelhapje.

HAPJE
4 PERSONEN

1 aubergine
2 eetlepels olijfolie extra vierge
1 eetlepel komijnzaad
1 teentje knoflook, gepeld
citroensap, naar smaak
zout en versgemalen peper
500 gram Olde remeker
  (of oude boerenkaas) aan 1 stuk

EXTRA NODIG
grillpan
vijzel
keukenmachine

Vleesliefhebbers voegen wat reepjes krokant spek toe.

Bladerdeegtaart met witlof en geitenkaas

Op een regenachtige zondagmiddag schuif je deze bladerdeegtaart zo in de oven.

BEREIDEN

1. Verwarm de oven voor op 210 °C. Leg de plakjes bladerdeeg naast elkaar op het aanrecht en laat ze ontdooien.

2. Verhit 1 eetlepel boter in een hapjespan. Voeg de uien toe en laat ze op een laag vuur ongeveer 20 minuten stoven. Voeg de tijm en zout en peper naar smaak toe.

3. Snijd intussen 1 centimeter van de onderkanten van de stronkjes witlof af. Snijd de stronkjes over de lengte doormidden en snijd ze vervolgens in lange dunne reepjes. Verhit de rest van de boter in een ruime koekenpan en roerbak de reepjes lof ongeveer 8 minuten tot ze mooi goudbruin zijn. Voeg zout en peper naar smaak toe. Schep de reepjes uit de pan en laat ze op een bord afkoelen.

4. Leg de plakjes bladerdeeg (met de bebloemde kant naar beneden) in een vierkant op een bakplaat met bakpapier. Druk de naden van de plakjes deeg met je vingertoppen goed aan elkaar vast.

5. Verdeel de uien gelijkmatig over het deeg. Leg het witlof erop en brokkel de geitenkaas erover, maar laat aan de randen ongeveer 2 centimeter vrij. Bestrijk de randen deeg met het ei. Bak de taart in het midden van de oven in 20-25 minuten goudbruin en gaar. Snijd de taart in stukken en serveer er een salade bij.

WIJNTIP

Bij de geitenkaas past een lekkere wijn van de sauvignon-druif, zoals pouilly fumé of sancerre of een fruitige maar droge rosé.

---

4 plakjes roomboterbladerdeeg (diepvries)

2 eetlepels roomboter

8 rode uien, in dunne halve ringen

2 eetlepels verse tijmblaadjes

400 gram witlof

100 gram zachte jonge geitenkaas

1 ei, losgeklopt

versgemalen peper

EXTRA NODIG

bakpapier

Courgettebloemen met ricotta uit de oven

Deze gevulde courgettebloemen vormen met de ricotta een perfect vegetarisch voorgerecht dat er heel zomers uitziet. Ricotta, een van oorsprong Italiaanse kaas, wordt ook in Nederland gemaakt. Je kunt deze Neder-ricotta bijvoorbeeld kopen op de zaterdagse Noordermarkt in Amsterdam.

VOORGERECHT
4 PERSONEN

½ krop krulandijvie (frisée)
250 gram ricotta (bij voorkeur Hollandse)
1 citroen, schoongeboend
2 eetlepels verse fijngehakte munt
8 courgettebloemen
20 groene asperges
3 eetlepels olijfolie extra vierge
zout en versgemalen peper
olie, om in te vetten

EXTRA NODIG

fijne rasp
sladroger

BEREIDEN

1. Verwarm de oven voor op 200 °C. Was de krulandijvie. Leg de andijvie 15 minuten in een bak met ijskoud water (bij voorkeur ijswater). Droog de groente in een sladroger.

2. Rasp boven een kommetje met een fijne rasp de schil van de citroen (alleen het geel). Snijd de citroen doormidden. Meng in een kommetje de ricotta met de citroenrasp en de munt. Voeg naar smaak zout en peper toe.

3. Verwijder de stampers voorzichtig uit de courgettebloemen. Snijd aan de onderkanten van de bloemen, bij het groene gedeelte, de wat hardere blaadjes rondom weg. Vul de bloemen met behulp van een theelepel voorzichtig met het ricottamengsel.

4. Leg de bloemen met enige tussenruimte naast elkaar op een met olijfolie ingevette bakplaat. Plaats de bakplaat in het midden van de oven en bak de bloemen in 15 minuten gaar.

5. Snijd intussen 2 centimeter van de houtige onderkant van de asperges af. Schil de onderste helft van de asperges met een dunschiller. Kook ze 2-3 minuten in een ruime pan met water en wat zout. Schep de asperges uit het water op een bord en laat ze afkoelen.

6. Meng in een kom de asperges met 1 eetlepel olie, voeg zout en peper naar smaak toe. Verdeel de asperges over vier grote borden. Schep in een kom de sla om met 2 eetlepels olie en knijp er (met een citroenhelft) een beetje citroensap boven uit. Voeg zout en peper naar smaak toe. Leg een beetje sla op de asperges en leg de courgettebloemen ernaast.

WIJNTIP

Kies bij dit voorgerecht een verfrissende witte wijn, bijvoorbeeld een sauvignon blanc.

Hollandse geitenkaas met een Frans accent

Op vrijdagmiddag tussen twee en vijf is Wolverlei Geitenhouderij in het Twentse Deldeneresch geopend voor publiek. Als je het terrein oprijdt, overvalt je een landelijk gevoel en je wordt enthousiast verwelkomd door de blaffende hond.

De in 1988 opgerichte Wolverlei Geitenhouderij is specialist in het maken van zachte geitenkazen en daarmee was ze een van de eersten in Nederland. Voor vakkennis, ervaring en receptuur heeft oprichter Herman van Koeveringe goed rondgekeken in Frankrijk. Het is dus niet zo gek dat het assortiment erg Frans aandoet. De Chèvre cendré bijvoorbeeld is een geitenkaasje dat volgens oud Frans recept bestrooid is met as en zout en dat zowel vers wordt geleverd als met twee weken rijping. Erg Frans zijn ook de Chèvre au calva à l'estragon, een pikante oude geitenkaas, gemarineerd in calvados met dragon en de 'Chèvre truffel', een lekker zacht kaasje met een sterke truffelsmaak.

Het besluit om zachte geitenkazen te maken was gedurfd: In de jaren tachtig was er in Nederland nog nauwelijks zachte Franse kaas verkrijgbaar en Herman moest dus nog maar zien of er wel voldoende markt voor was. Het kostte hem sowieso al vijf jaar voordat de Keuringsdienst van Waren snapte dat hij een zachte kaas maakte en geen kwark! Er waren toen nog geen wettelijke regels voor het maken van zachte kaas, maar wel voor kwark. Het probleem: bij de productie van kwark zijn gisten en schimmels ongewenste gasten terwijl ze bij het maken van zachte kaas juist onmisbaar zijn. Inmiddels zijn die regels aangepast.

Vraag Herman wat zo bijzonder is aan de Wolverlei-kaasjes en hij brandt los: 'Onze geiten eten een grasmengsel waarin we niet alleen heel smakelijk gras verwerken maar ook dertien verschillende kruiden waaronder munt, veldsalie en kamille. De geiten eten dit graag, voelen zich goed en geven betere melk. Bij de productie van de kaas letten we goed op. Melk van geiten waarvan we vermoeden dat ze ziek zijn of van geiten met een ontstoken uier, wordt niet gebruikt. Bij de bereiding en het affineren of rijpen van de kazen werken we alleen met hele mooie kruiden en prachtige destillaten voor een optimaal kaasje.' Dat laatste kunnen we in elk geval beamen: de kaas smaakt heerlijk!

Geitenkaasjes in kastanjeblad met geroosterde druiven

VOORGERECHT
4 PERSONEN

2 geitenkaasjes in kastanjeblad van de Wolverlei (of twee zachte verse geitenkaasjes) -
2 eetlepels heidehoning
2 eetlepels olijfolie extra vierge
1 tros (liefst biologische) druiven van 500 gram

EXTRA NODIG
ovenschaal

Ik kreeg de inspiratie voor dit gerecht toen ik op dezelfde dag een bezoek bracht aan de wijngaard van de Wageningse Berg (zie pagina 178) en aan de geitenkaasproducent Wolverlei (pagina 242). De druiven krijgen door het roosteren een heel geconcentreerde smaak en dat is heerlijk bij zo'n mooi Wolverleikaasje.

BEREIDEN

1. Verwarm de oven voor op 200 °C. Snijd de geitenkaasjes doormidden. Leg de kaasjes met de buitenkant naar beneden in een ovenschaal. Druppel de honing erover. Knip de druiventros in kleine trosjes en leg ze bij de kaasjes.
2. Sprenkel de olie erover en plaats de ovenschaal in het midden van de oven. Bak de kaasjes en de druiven in 15 minuten goudbruin.
3. Leg de geroosterde druiven en kaasjes op een plank en serveer direct.

WIJNTIP

De honing en druiven zorgen voor een vrij zoet geheel. Kies voor een lekkere droge of halfdroge cider (appel of peer) uit de westelijke kustprovincies van Frankrijk. Cider bevat weinig alcohol (6%-8%) en heeft een verfrissende bubbel.

Wolverleikaasjes met geroosterde pompoen

De smaak van dit gerecht is spannend door de combinatie van de romige geitenkaasjes en de zoete pompoen (die door het grillen nog eens extra zoet wordt). Het is lekker bij konijn gestoofd in Texels Skuumkoppe van pagina 213 of bij gevogelte.

BEREIDEN

1. Verwarm de oven voor op 220 °C. Schil de pompoen, verwijder de zaden en snijd het vruchtvlees in 12 plakken. Schep in een kom de pompoen om met 2 eetlepels olie, wat zout en peper. Verdeel de plakken pompoen gelijkmatig over een bakplaat en rooster ze in 25 minuten goudbruin en gaar.

2. Roer in een kom de rode ui en azijn door elkaar en laat de ui 5 minuten marineren. Snijd de worteltjes van de raapstelen af. Was en droog de raapstelen en schep ze door de rode ui. Voeg de rest van de olie toe. Breng de salade op smaak met zout en peper.

3. Verdeel de geroosterde pompoen en de geitenkaasjes over vier borden. Schep er een beetje van de raapstelensalade bij.

WIJNTIP

De combinatie geitenkaas en sancerre is klassiek en je kunt er eigenlijk nooit de fout mee ingaan. Maar probeer voor de afwisseling ook eens een Oostenrijkse grüner veltliner of een vernaccia di san gimignano.

VOORGERECHT
4 PERSONEN

½ grote of 1 kleine pompoen
5 eetlepels olijfolie extra vierge
zout en peper
1 rode ui, in dunne ringen
1 eetlepel rode-wijnazijn
12 mini-geitenkaasjes (bijvoorbeeld Crotte de Chèvre van de Wolverlei)
1 bosje jonge raapstelen

Gebruik altijd een harde appel voor dit soort gerechten.

Appelcake met anijs en gemberroom

Door het gebruik van de oer-Hollandse 'Dijkmans zoet' appeltjes en de toevoeging van anijszaadjes, is deze appelcake anders dan anders. De stemgemberroom smaakt er ouderwets lekker bij. Wanneer je geen 'Dijkmans zoet' kunt vinden, kun je ook elstars gebruiken.

BEREIDEN

1. Verwarm de oven voor op 170 °C. Klop de boter en suiker met een mixer in 5 minuten tot een luchtige massa. Voeg dan één voor één de eieren toe; elk ei moet volledig zijn opgenomen voordat het volgende ei wordt toegevoegd. Het kan lijken alsof het beslag schift (dan wordt het bijna korrelig), maar dat verdwijnt zodra je de bloem toevoegt (stap 2).

2. Spatel voorzichtig en beetje bij beetje de bloem, het bakpoeder, de kaneel en anijszaadjes door het beslag. Verdeel het beslag gelijkmatig over een ovenschaal en steek de stukjes appel erin. Zet de ovenschaal in het midden van de oven en bak de cake in ongeveer 45 minuten goudbruin en gaar.

3. Haal de cake uit de oven en laat hem minimaal 30 minuten afkoelen. Snijd de gemberbolletjes in kleine partjes. Schep de cake op vier bordjes, leg de gember ernaast en schenk een beetje room over de gember.

WIJNTIP

Hierbij smaakt een pommeau uit de calvadosstreek erg lekker bij. Dit is een lichte zoete versterkte wijn gemaakt van calvados en appelsap.

250 gram zachte roomboter
250 gram fijne kristalsuiker
5 eieren, op kamertemperatuur
250 gram patentbloem, gezeefd
1 theelepel bakpoeder
1 theelepel kaneel
1 eetlepel anijszaad
4 Dijkmans zoet appels (ongeschild), in partjes
12 bolletjes stemgember
75 ml slagroom

EXTRA NODIG

mixer
ingevette ovenschaal met een inhoud van 2 tot 3 liter

Boerenjongens met peer

De Doyenne du Comice is een van de lekkerste handperen die er te krijgen zijn. In dit dessert wordt de sappige en zoete peer met boerenjongens en een weelderige, warme chocoladesaus gecombineerd.

BEREIDEN

1. Breek de chocolade in stukjes en smelt de chocolade in een kom boven een pan met zacht kokend water (au bain-marie). Je kunt chocolade ook in de magnetron smelten maar let dan wel goed op dat hij niet verbrandt.

2. Snijd de peren over de lengte doormidden en verwijder met een theelepel het klokhuis. Snijd elke helft in 4 mooie lange dunne plakjes. Verdeel de peer over vier borden, schenk er de boerenjongens over en schep er een bolletje ijs naast. Schenk er de chocoladesaus over.

WIJNTIP

Serveer hier een gekoelde poiré bij, een cider uit Bretagne of Normandië die gemaakt wordt van peren.

150 gram chocolade (cacaopercentage 71%)

4 eetlepels boerenjongens

2 rijpe peren (bij voorkeur Doyenne du Comice), geschild

4 bolletjes chocolade-ijs

In plaats van Dijkmans zoet kun je ook goed Elstars gebruiken.

Dijkmans zoet appels met kruimeldeeg

'Dijkmans zoet' appels zijn erg geschikt voor dit nagerecht. Deze appel komt oorspronkelijk uit het gebied rond Purmerend en is goed verkrijgbaar op biologische markten.

BEREIDEN

1. Verwarm de oven voor op 180 °C. Verdeel de hazelnoten gelijkmatig over een bakplaat en rooster ze in 15 minuten goudbruin. Hak de noten grof.

2. Meng in een kom de bloem met basterdsuiker en boter en kneed het met je vingers tot er grof, kruimelig deeg ontstaat. Meng er op het laatste moment de afgekoelde noten erdoor. Ga niet te lang door met kneden, want het is de bedoeling dat het deeg kruimelig blijft een geen deegbal wordt. (Overkomt dit je toch, bak er dan gewoon koekjes van en maak het kruimeldeeg opnieuw.) Zet het kruimeldeeg 20 minuten in de koelkast voordat je het gebruikt.

3. Snijd de appels in vieren en halveer elk partje overdwars door zodat je dikke stukjes appel krijgt. Schep in een ovenschaal de appel met de suiker en kaneel om en verdeel de stukjes over de bodem. Strooi het kruimeldeeg erover.

4. Plaats de ovenschaal in het midden van de oven en bak het nagerecht in 45 minuten goudbruin en gaar. Verdeel de warme appel met krokant kruimeldeeg met een grote lepel over vier borden. Schenk er de slagroom omheen.

WIJNTIP

Bij de friszoete appel en het romige kruimeldeeg past een sauternes of een monbazillac heel goed.

125 gram hazelnoten

265 gram patentbloem

140 gram lichtbruine basterdsuiker

150 gram koude roomboter, in blokjes

8 Dijkmans zoet appels, geschild

2 eetlepels suiker

1 theelepel kaneel

1 dl slagroom

EXTRA NODIG

ingevette ovenschaal met een inhoud
- van twee liter

Flensjes met rabarber en aardbeien

Wat een heerlijk zomers nagerecht! De frisse rabarber vormt een mooi contrast met de romige mascarpone. Heb je een echte crêpepan, dan komt die hier goed van pas. Maar je kunt de flensjes natuurlijk ook in een gewone koekenpan bakken.

VOORBEREIDEN

1. Verwarm de oven voor op 200 °C. Klop in een grote kom met een garde de eieren met de melk, olie en het zout los. Zeef de bloem erboven en klop deze erdoor. Giet het beslag door de zeef over in een andere kom, zodat alle klontjes achterblijven.

2. Maak de rabarber schoon: snijd de boven- en onderkanten van de stengels af en trek de dikke draden aan de zijkanten er met een mes vanaf. Snijd de stengels in stukken van 5 centimeter; snijd dikke stukken over de lengte doormidden. Was de rabarber en schep de stukken in een ovenschaal om met de suiker. Plaats de schaal ongeveer 30 minuten in het midden van de oven, tot de rabarber zacht en gaar is. Laat het geheel afkoelen.

3. Roer de mascarpone in een kommetje los en voeg naar smaak vanille-suiker toe. Maak de aardbeien schoon; snijd grote exemplaren doormidden. Schep de aardbeien door de rabarber.

4. Verhit in een koekenpan met antiaanbaklaag een klein beetje boter. Schenk er een beetje van het beslag in (niet te veel, want de flensjes moeten heel dun zijn) en bak de onderkant mooi goudbruin. Keer het flensje zodra de bovenkant is gestold en bak de andere kant ook goudbruin. Laat het flensje op een bord glijden en bak op dezelfde manier met de rest van het beslag nog 7 flensjes.

5. Leg op elk bord een flensje, verdeel er het rabarbermengsel over en vouw de pannenkoekjes mooi tot pakketjes op. Schep op elk bord een beetje mascarpone.

WIJNTIP

Bij dit nagerecht met veel fruit past een fruitige dessertwijn. Een zoete wijn met bubbeltjes, zoals een moscato d'asti, maakt het gerecht extra feestelijk.

3 scharreleieren

3 dl melk

3 eetlepels olijfolie

mespunt zout

125 gram patentbloem

1 kilo rabarber

5 eetlepels suiker

150 gram mascarpone

1 zakje vanillesuiker

500 gram Hollandse aardbeien

1 eetlepel roomboter

EXTRA NODIG

zeef

Stamp frambozenzuurtjes fijn in de vijzel en strooi ze
eromheen voor een extra 'crunch'.

Frambozen met chocoladeflikken

Deze dunne chocoladeflikken kun je goed voorbereiden. In plaats van frambozen kun je ook ander rood zomerfruit nemen, zoals bosbessen, aardbeien of bramen.

NAGERECHT

4 PERSONEN

255

100 gram geschaafde amandelen

300 gram bittere chocolade
  (cacaopercentage 71%)

1 dl slagroom

1,5 eetlepel poedersuiker

450 gram Hollandse frambozen

EXTRA NODIG

bakpapier

VOORBEREIDEN

1. Verwarm de oven voor op 175 °C. Strooi de geschaafde amandelen gelijkmatig over een bakplaat en rooster ze in 10 minuten goudbruin. Je kunt ze eventueel ook in een droge koekenpan roosteren.

2. Breek de chocolade boven een hittebestendige kom in kleine stukjes. Hang de kom in een grote pan met een laag zacht kokend water en laat de chocolade zachtjes smelten (au bain-marie). Roer het amandelschaafsel door de nog warme chocolade.

3. Bedek een niet al te grote bakplaat (moet straks in de koelkast passen) met bakpapier. Maak 8 flikken, door steeds een eetlepel van het chocolade-mengsel op het bakpapier te scheppen en tot zo dun mogelijke cirkels van ongeveer 10 centimeter doorsnede uit te smeren. Laat de flikken in ongeveer 30 minuten in de koelkast hard worden.

BEREIDEN

1. Klop in een kom de slagroom met de poedersuiker stijf. Haal de flikken voorzichtig van het bakpapier.

2. Schep een klein beetje slagroom in het midden van vier borden en leg op elk dotje slagroom een chocoladeflik. Schep in het midden van elke flik met een hete lepel 1 eetlepel slagroom. Rangschik de frambozen er mooi omheen en leg de rest van de chocoladeflikken erop.

WIJNTIP

Een moscato d'asti is hier schitterend bij. Deze Italiaanse bubbelwijn bevat een vrij laag alcoholpercentage en is lekker friszoet.

Gebruik bakpapier en in geen geval aluminiumfolie.
De paprika's blijven daar aan vastplakken.

Gekarameliseerde rode paprika's met ijs

Paprika als nagerecht? Ja lekker! Verras jezelf en je gasten met dit prachtige, kleurige en vooral bijzondere nagerecht. Paprika's zijn van zichzelf al vrij zoet en door het grillen versterk je het zoete accent. Je kunt het beste rode of gele paprika's gebruiken. Het toetje wordt nog lekkerder als je ze besprenkelt met enkele druppels amandellikeur en er amandelkoekjes bij opdient.

BEREIDEN

1. Verwarm de oven voor op 200 °C. Snijd de paprika's over de lengte in vier parten en verwijder de steeltjes en zaadlijsten.

2. Verhit de grillpan. Smeer de paprika's goed met de olie in. Gril de paprika's op de velkant tot ze zwart zien of tot het velletje loskomt. Doe ze in een plastic zakje en sluit het zakje af. Laat de paprika's 10-30 minuten in het zakje stomen, zodat de velletjes makkelijker loslaten.

3. Ontvel de paprika's en leg ze naast elkaar op een bakplaat met bakpapier. Verdeel de helft van de suiker over de paprika's. Draai de paprika's om en bestrooi de andere kant met de rest van de suiker.

4. Plaats de bakplaat in het midden van de oven en rooster de paprika's 30 minuten. Draai ze om, verlaag de oventemperatuur naar 100 °C en rooster ze nog ongeveer 25 minuten tot ze goudbruin zijn. Verdeel de paprika's over vier bordjes en schep er een bol ijs ernaast.

WIJNTIP

Serveer een lekker glas niet te droge Spaanse cava (bubbels!) bij dit buitengewone en feestelijke nagerecht.

NAGERECHT
4 PERSONEN

3 grote rode paprika's
1 eetlepel olijfolie
5-6 eetlepels witte basterdsuiker
4 bollen vanille-ijs

EXTRA NODIG
grillpan
bakpapier

Griesmeelpudding met kersen

Lekker! Gemarineerde kersen met griesmeelpudding! Als je dit klassieke nagerecht met liefde maakt, is het resultaat heel anders dan de op stijfsel lijkende griesmeelpudding die sommige mensen nog van vroeger kennen.

BEREIDEN

1. Maal de amandelen fijn in de keukenmachine. Breng in een steelpan de melk met 50 gram suiker, de vanillesuiker, de amandelen en het citroensap zachtjes aan de kook.

2. Voeg het griesmeel toe en roer het geheel 10 minuten op een laag vuur goed door. Meng er de eidooier en slagroom door.

3. Haal de pan van het vuur en laat het mengsel iets afkoelen. Schenk het mengsel in vier glazen en laat het in de koelkast minstens in 1 uur opstijven.

4. Was de kersen, halveer ze en verwijder de pitten (gebruik eventueel een kersenontpitter). Meng de kersen in een kom met de rest van de suiker en eventueel de Kirsch. Laat ze minimaal 1 uur staan. Verdeel de kersen met sap over de glazen met griesmeelpudding.

2,5 dl melk

100 gram suiker

0,5 theelepel vanillesuiker (zakje)

50 gram blanke amandelen, fijngemalen

enkele druppels citroensap

20 gram griesmeel

1 eidooier

50 ml slagroom

300 gram verse kersen

2 eetlepels Kirsch (kersenlikeur), eventueel

EXTRA NODIG

keukenmachine

kersenontpitter (eventueel)

Haagse bluf met gemarineerde aalbessen

Dit heerlijke nagerecht is een feestje van zoet, zuur, luchtig en vol! De combinatie van het zuur van de bessen, de volle smaak van vla en ijs en het lichte, luchtige mondgevoel van het zoete schuim vormen een mooi geheel.

BEREIDEN

1. Schep in een kom de aalbessen met de sinaasappelrasp, likeur en 25 gram suiker goed door elkaar.

2. Klop in een andere kom met een mixer het eiwit en bessensap met de rest van de suiker 5 tot 7 minuten tot de massa mooi roze en lobbig is.

3. Schenk de vanillevla in vier glazen, schep in elk glas een bol ijs en verdeel er de aalbessen over. Schep met een grote lepel het roze schuim erop. Serveer de Haagse bluf met de lange vingers of kaneelkoekjes.

WIJNTIP

Dit nagerecht vraagt om een niet te zoete dessertwijn. Een Italiaanse moscato d´asti past er prima bij.

150 gram aalbessen, van de takjes gerist

0,5 theelepel sinaasappelrasp

1 eetlepel sinaasappellikeur

75-100 gram fijne kristalsuiker

1 eiwit

1 dl bessensap

2 dl vanillevla

4 bollen vanille-ijs

4 lange vingers of kaneelkoekjes

EXTRA NODIG

mixer

Hangop met tuttifrutti

Dit is een gezond en heerlijk nagerecht. Door yoghurt op deze manier te bereiden, wordt hij zacht en romig. De intens zoete smaken van de in wijn gestoofde tuttifrutti passen er goed bij. En wat doe je met de rest van de fles dessertwijn? Die drink je er straks lekker bij.

VOORBEREIDEN

1. Spoel een schone theedoek onder koud stromend water en wring de doek goed uit. Leg de doek in een zeef en hang deze boven een kom. Schenk de yoghurt in de doek en zet de kom minimaal 4-5 uur in de koelkast. Het vocht lekt uit de yoghurt en je houdt alleen de romige basis over.

BEREIDEN

1. Snijd het vanillestokje in de lengte doormidden en schraap met een scherp mesje het merg eruit. Breng in een pan de wijn met het vanillemerg en stokje aan de kook. Zet het vuur lager en voeg de zuidvruchten toe. Kook het geheel nog ongeveer 20 minuten met het deksel schuin op de pan.

2. Laat de tuttifrutti tot lauwwarm afkoelen en verdeel de vruchten over vier kleine kommetjes. Schep er een grote lepel hangop op en druppel er de honing over.

WIJNTIP

Drink er een gekoelde dessertwijn bij.

500 ml boerenyoghurt

1 vanillestokje

400 ml zoete witte wijn (dessertwijn)

300 gram tuttifrutti

2 eetlepels heidehoning
  (of andere vloeibare honing)

EXTRA NODIG

zeef

Zomerkoninkjes

Als ik over de markt loop en die heerlijke zoete geur ruik van verse aardbeitjes weet ik het zeker: de zomer komt eraan! Wat veel mensen niet weten is dat er verschillende aardbeirassen zijn die, net als bijvoorbeeld aardappels of tomaten, allemaal hun eigen kenmerken hebben.

De rassen hebben klinkende namen zoals Elsanta, Corona, Lambada, of Mara des Bois. Die laatste lijkt qua smaak een beetje op de kleine bosaardbeitjes die je weleens kunt vinden in de zomer: heel zoet en geparfumeerd, ongelofelijk lekker.

Lambada-aardbeien zijn in ons land vrij goed verkrijgbaar. Vooral vroeg in het seizoen, soms al in maart. Het is een flinke aardbei met een beetje kegelvormig uiterlijk en een zoet aroma. Ik verwerk ze graag in de roodfruitgelei met sinaasappelroom van pagina 271. Ook zijn de Lambada's perfect om te gebruiken in het recept van de chocolade-aardbeien van pagina 273. Maar ik zet ook vaak gewoon een doosje aardbeien op tafel om zo van te snoepen. Houd

er rekening mee dat aardbeien heel kwetsbaar zijn. Je kunt ze niet lang bewaren en als er ook maar eentje in het doosje niet goed is, kun je ze allemaal binnen een dag weggooien. Toch werk ik er graag mee.

Echte Hollandse aardbeien zijn mijn favoriet. Een man die verantwoordelijk is voor wel zes verschillende biologische aardbeienrassen is Jan Robben. Ik ontmoette hem op Nederland Smaakt!, een jaarlijks terugkerend evenement waar Nederlandse producenten hun producten promoten. Het was verbazingwekkend hoe goed zijn aardbeien smaakten en hoeveel smaakverschillen er zijn tussen al deze rassen. Op www.aardbeien.net vind je alles over zijn bedrijf.

Aardbeirassen hebben klinkende namen zoals Elsanta, Corona, Lambada, of Mara des Bois.

Wist je trouwens dat er heel veel verschillende aardbeienrassen zijn?
Op pagina 266 lees je er meer over.

Hollandse aardbeien met ijs en slagroom

Wat is dit toch een lekkere Hollandse klassieker. Helemaal als je het vanille-ijs zelf maakt. De beste aardbeien koop je in de zomer. Ga ervoor naar de groente- en fruitspecialist.

VOORBEREIDEN

1. Maak het mengsel voor het ijs. Snijd het vanillestokje over de lengte doormidden. Schraap met een scherp mesje het vanillemerg uit het stokje. Breng in een pan de melk met het vanillestokje, het vanillemerg en de helft van de suiker zachtjes aan de kook. Haal de pan van het vuur. Klop in een kom met een mixer de eidooiers en de rest van de suiker in ongeveer 5 minuten tot een luchtige massa. Schenk de hete melk beetje bij beetje door de eidooiers en klop het mengsel voortdurend met een garde door.

2. Schenk het mengsel terug in de pan en roer het met een houten lepel op een laag vuur door tot het dik en gebonden is. Laat het mengsel niet meer koken. Wanneer je met je vinger op de achterkant van de lepel een streep kunt trekken die niet meer doorloopt, is het mengsel dik genoeg en ongeveer 60 °C. Roer de koude slagroom erdoor. Laat het mengsel afkoelen (eventueel in een grote bak met ijswater).

3. Schep het mengsel in een ijsmachine en draai het in ongeveer 20 minuten tot mooi zacht ijs. Schep het ijs uit de machine, schep het in een diepvriesdoos en in de vriezer nog iets meer opstijven.

BEREIDEN

1. Maak de aardbeien schoon, snijd grote exemplaren doormidden. Schep in een kom de aardbeien om met 1 eetlepel suiker. Klop met een mixer in een andere kom de slagroom met 2 eetlepels suiker lobbig.

2. Schep op elk bord een klein beetje geklopte slagroom en leg hier een wafelkoekje op. Verdeel er de aardbeien over en leg hier weer een wafelkoekje op. Schep er een bolletje ijs en de rest van de slagroom naast.

NAGERECHT
4 PERSONEN

VANILLE-ROOMIJS
1 vanillestokje
0,5 liter melk
100 gram fijne kristalsuiker
10 eidooiers
3,5 dl slagroom

500 gram Hollandse aardbeien
8 wafelkoekjes
3 eetlepels suiker
2 dl slagroom

EXTRA NODIG
mixer
ijsmachine

Klop slagroom zo koud mogelijk stijf.

Roodfruitgelei met sinaasappelroom

Je zou niet zeggen dat dit heerlijke nagerecht zo gemakkelijk te bereiden is. Het is perfect voor een etentje met vrienden: je zet deze mooie toetjes zo uit de koelkast op tafel.

VOORBEREIDEN

1. Maak het fruit schoon. Doe 200 gram fruit in vier kommetjes of glaasjes (snijd grote exemplaren in tweeën). Gebruik de andere 200 gram om de gelei te maken.

2. Wrijf de vruchten boven een kom door een zeef, zodat de pitjes en velletjes achterblijven. Roer het citroensap erdoor. Breng in een pannetje 160 ml water met de geleisuiker aan de kook. Roer het vruchtensap erdoor en kook alles 4 minuten zachtjes en al roerend op een laag vuur. Verdeel het mengsel over de vier kommetjes of glazen en laat ze in de koelkast in 2 uur tot gelei opstijven.

BEREIDEN

1. Klop in een kom met een mixer de slagroom, de suiker en het sinaasappelrasp lobbig. Haal de kommetjes of glazen uit de koelkast en schep op elk toetje een dotje slagroom. Lekker met amandelkoekjes.

WIJNTIP

Kies voor een niet te zoete wijn want te zoet verdoezelt de frisse smaken van het fruit. Een moscato d'asti is een goede keuze.

400 gram rood zomerfruit (zoals bramen, frambozen, aardbeien, aalbessen)

1 eetlepel citroensap

100 gram geleisuiker speciaal

1,5 dl slagroom

1 eetlepel suiker

1 theelepel sinaasappelrasp

EXTRA NODIG

blender of staafmixer

zeef

Heb je gesmolten chocolade over?
Maak er dan bijvoorbeeld enkele chocolade-daatjes mee (zie pagina 275).

Chocolade-aardbeien

Deze in chocolade gedipte aardbeien zijn mooi om te zien en gemakkelijk te maken.

BEREIDEN

1. Breek de chocolade boven een hittebestendige kom in kleine stukjes. Hang de kom in een grote pan met een laag zacht kokend water en laat de chocolade zachtjes smelten (au bain marie).

2. Leg een stuk bakpapier op een groot bord. Houd de aardbeien vast aan het kroontje en doop ze rondom in de gesmolten chocolade. Leg de aardbeien los van elkaar op het bakpapier. Zet het bord in de koelkast en laat de chocolade in ongeveer 30 minuten hard worden. Lekker bij de thee of bij een espresso na het eten. Je kunt de chocolade-aardbeien maximaal een halve dag in de koelkast bewaren.

WAT DRINK JE ERBIJ?

Een eau de vie de fraises uit de Elzas smaakt heerlijk bij een kopje sterke espresso en deze chocolade aardbeien.

VOOR BIJ DE KOFFIE

200 gram pure chocolade
  (cacaopercentage 71%)
500 gram Hollandse aardbeien

EXTRA NODIG
bakpapier

Chocolade-daatjes met cranberry's

'Heet je nou YolandE of YolandA?' DA dus. Zo lang als ik me kan her-inneren noemt een aantal dierbare vrienden me dan ook Da of Daatje en inmiddels heet ook mijn bedrijf 'Daatjes Passie'. Deze chocolade-plak met gedroogde cranberry's maak ik vaak wanneer ik als 'privé-kok' bij mensen thuis kook. Als je de plak in stukjes breekt, worden het 'chocolade-daatjes'. Heerlijk bij een sterke espresso!

BEREIDEN

1. Rooster de amandelen in een droge koekenpan goudbruin en krokant. Zet ze even apart.

2. Breek de chocolade boven een vuurvaste kom in kleine stukjes. Breng in een pan een bodem water aan de kook. Hang de kom boven het water en laat de chocolade langzaam smelten (au bain-marie).

3. Haal de gesmolten chocolade van het vuur en spatel de amandelen erdoor. Bekleed een plat bord of ovenschaaltje met aluminiumfolie. Schenk de chocolade erop en strijk het dun uit.

4. Snijd met een scherp mes de cranberry's in kleine reepjes en strooi ze in de warme chocolade. Laat de chocoladeplak een uur in de koelkast opstijven. Breek of snijd de plak in kleine stukjes en dien de 'daatjes' bij de koffie op.

WAT DRINK JE ERBIJ?

Een glas calvados of armagnac.

75 gram geschaafde amandelen
350 gram chocolade
   (cacaopercentage 71%)
4 eetlepels gedroogde cranberry's

EXTRA NODIG
aluminiumfolie

Eet ze bij een lekkere kop warme chocolademelk of goede espresso.

Extra kruidige speculaasjes

Zoet, vol en extra kruidig van smaak! Door het bijna overdadige gebruik van specerijen zijn deze koekjes compleet anders dan gewone speculaasjes. Eet ze bij een lekkere kop warme chocolademelk of goede espresso.

VOORBEREIDEN

1. Zeef de bloem boven een grote kom en voeg de andere ingrediënten (behalve het ei en de amandelen) toe. Kneed het deeg met de hand of met de keukenmachine tot een mooie gladde deegbal.

2. Rol het deeg in de vorm van een lange worst van ongeveer 4 centimeter doorsnee. Wikkel de 'speculaasworst' in plasticfolie en leg het deeg minimaal 30 minuten in de koelkast.

BEREIDEN

1. Verwarm de oven voor op 175 °C. Snijd het deeg in plakken van ½ centimeter dik. Leg de plakjes op enige afstand van elkaar op een bakplaat met bakpapier. Bestrijk de koekjes met een beetje losgeklopt ei en druk in elke koekje een amandel.

2. Bak de speculaasjes in het midden van de oven in ongeveer 15 minuten goudbruin en gaar. Neem de koekjes uit de oven en laat ze op een rooster afkoelen.

TIP

Als je het deeg een dag van tevoren maakt, trekken de smaken van alle specerijen nog beter in waardoor het resultaat nog lekkerder is.

VOOR BIJ DE KOFFIE
50 STUKS

200 gram patentbloem
140 gram roomboter, in blokjes
100 gram bruine basterdsuiker
2 theelepels speculaaskruiden
2 theelepels kaneel
1 theelepel gemberpoeder
1 theelepel kardemom
0,5 theelepel nootmuskaat
1 theelepel gemalen kruidnagel
1 ei, losgeklopt
100 gram hele blanke amandelen

EXTRA NODIG
plasticfolie
bakpapier
kwastje
keukenmachine (eventueel)

Gember-chocoladebonbons met hagelslag

Stemgember is typisch Hollands. In mijn familie werd dit vroeger met veel slagroom op zondag als nagerecht gegeten. De combinatie van gember met bittere chocolade is heerlijk pittig. Echt lekkere chocolade-hagel kun je bij een goede chocolaterie krijgen.

BEREIDEN

1. Smelt de chocolade in een vuurvaste kom boven een pannetje met zacht kokend water (au bain-marie). Snijd de gemberbolletjes elk in 8 kleine stukjes.

2. Haal de gesmolten chocolade van het vuur en meng er de gemberstukjes door.

3. Leg een stuk bakpapier op een groot bord. Schep er met een vork kleine hoopjes van het chocolade- gembermengsel op en strooi de hagelslag over de nog warme chocolade. Laat de bonbons in de koelkast hard worden.

WIJNTIP

Drink er een goeie rode port of een zoete rode wijn zoals een licht gekoelde banyuls bij.

TIP

Serveer stemgember met halfgeslagen room en een snufje versgemalen espresso.

VOOR BIJ DE KOFFIE
20 STUKS

20 bolletjes stemgember, uitgelekt
200 gram bittere chocolade
 (cacaopercentage 71%)
50 gram pure hagelslag

EXTRA NODIG
bakpapier

Honing-amandel cakejes

Honing en noten, in dit geval amandelen, passen uitermate goed bij elkaar. Deze kleine cakejes zijn zo gemaakt en dus ideaal als je snel iets lekkers bij de thee of koffie wilt hebben.

BEREIDEN

1. Verwarm de oven voor op 160 °C. Splits de eieren boven een kom.

2. Klop in een kom met een mixer de boter met een mespunt zout luchtig. Voeg één voor één de eidooiers toe en mix het geheel nog 5 minuten.

3. Voeg de gemalen amandelen, de honing en het cakemeel toe. Klop het beslag met de mixer goed. Klop in een andere kom de eiwitten stijf. Schep de helft van het eiwit met een spatel voorzichtig door het beslag. Als al het eiwit is opgenomen, schep je de rest erdoor.

4. Verdeel de papieren vormpjes over de muffinvorm en schep in elke vormpje een beetje van het beslag. Strooi de geschaafde amandelen erover. Plaats de cakejes in het midden van de oven en bak ze in 25 minuten goudbruin en gaar. Haal de cakejes uit de muffinvorm en laat ze op een rooster afkoelen. Zo voorkom je dat de onderkant nat en klef wordt.

4 eieren, op kamertemperatuur

zout

200 gram roomboter, op kamertemperatuur

50 gram gemalen amandelen

225 gram heidehoning

200 gram cakemeel, gezeefd

3 eetlepels geschaafde amandelen

EXTRA NODIG

handmixer

12 papieren cakevormpjes

muffinvorm

Dagelijks brood!

Valt er nog iets over brood te zeggen? Je zou denken van niet. Brood is tenslotte zo verankerd met de Nederlandse cultuur. Maar tegelijkertijd zijn we vergeten hoe brood écht smaakt.

We kopen ons gesneden halfje bruin bij de supermarkt zonder te realiseren dat dit brood net zo veel op echt brood lijkt als een appel op een peer. Echt brood is zwaar en stevig, heeft een dikke, knapperige korst en kan een heel scala aan smaken en geuren bevatten.

Echt brood komt van een bakker die met liefde bakt. Dimitri Roels van Het Vlaamsche Broodhuys is zo'n bakker. Bij hem koop ik het liefst mijn broden. Dimitri's broden worden gemaakt van kwalitatief hoogwaardige producten. Zo verwerkt hij zeezout in plaats van gewoon zout, gebruikt hij bijzondere tarwesoorten, verse kruiden en goede olie. En dat proef je.

Dimitri: 'Toen ik in restaurants in Parijs en Brussel werkte, viel het mij op dat Fransen en Belgen heel anders naar brood kijken dan Nederlanders. Bij ons gaat zuinigheid boven smaak. We zijn zuinig met ons geld én met onze tijd. Een Fransman niet, die gaat rustig twee keer per dag naar de bakker want hij wil zowel bij de lunch als bij het diner vers brood eten. Nederlanders kopen twee keer per week een voorgesneden brood bij de supermarkt.' Ondanks deze wetenschap begon Dimitri in 1996 toch met zijn Vlaamsche Broodhuys. Hij gaf zichzelf negen maanden de tijd om het bakkersvak tot in de kleinste details te begrijpen en bezocht zoveel mogelijk bakkers in Frankrijk om er achter te komen wat de praktijk nu echt inhield. 'Ik heb in die maanden ongelooflijk veel gezien en geleerd, maar nog steeds had ik het idee dat ik maar de helft onder de knie had. Wel werd het me duidelijk dat goed brood alleen gebakken kan worden met veel toewijding en liefde.' Nou, die eigenschappen heeft Dimitri volop. Hij heeft inmiddels drie winkels, een in Utrecht, een in Amsterdam en een in Den Haag. Niet iedereen woont in deze steden, maar als je er een keer komt, is een bezoek aan Het Vlaamsche Broodhuys echt de moeite waard. In elke stad zijn er wel bakkers te vinden die echte broden maken. Je moet ze alleen wel even vinden. Dimitri bakt zijn broden in Schiedam, het hart van zijn bedrijf. Daar wordt gebakken en gekneed maar vooral gewerkt met veel liefde en toewijding, de ingrediënten van echt lekker brood.

Goed brood kan alleen gebakken
worden met veel toewijding en liefde.

Varieer lekker met harde kruiden zoals
rozemarijn, bonenkruid of salie

Tijmbrood

Bijna nergens anders dan in Nederland eet men twee broodmaaltijden per dag. Omdat brood een echt massaproduct is geworden, is het leuk om af en toe zelf lekker brood te bakken. Met dit tijmbrood verras je iedereen. Serveer het bijvoorbeeld met kerstomaatjes, radijsjes of plakjes lekkere droge worst als hapje bij de borrel.

BEREIDEN

1. Verwarm de oven voor op 50 °C. Roer in een grote kom de bloem met het gist en 275 ml lauwwarm water door elkaar. Kneed het deeg ongeveer 10 minuten; voeg halverwege het zout toe. Dek de kom af met plasticfolie en laat het deeg in de voorverwarmde oven 30 minuten rijzen.

2. Haal het deeg uit de oven en rol het met een deegroller op een met bloem bestoven werkvlak uit tot je een plak hebt van 2 centimeter dik en 20 centimeter doorsnee. Leg het deeg vervolgens op een met bloem bestoven bakplaat. Dek het weer af met plasticfolie en laat het in de oven nogmaals 30 minuten rijzen. Haal het deeg uit de oven, verhoog de oventemperatuur naar 220 °C.

3. Stamp in de vijzel de tijm fijn. Schenk de olie erbij en verdeel dit mengsel over het deeg. Plaats de bakplaat, zodra de oven op temperatuur is, in het midden van de oven en bak het brood in 25-30 minuten goudbruin en gaar. Laat het brood op een rooster afkoelen.

TIP

Met tijm kun je ook lekker kruidenzout maken. Meng enkele takjes tijm met wat grof zeezout en stop het in een in afgesloten bakje. Na een week is je kruidenzout perfect.

1 BROOD

500 gram bloem
1,5 zakje gedroogde gist (7 gram)
1,5 theelepel zout
2 eetlepels olijfolie
10 takjes tijm
bloem, om te bestuiven

EXTRA NODIG
plasticfolie
deegroller
vijzel

Ik laat vanwege de constante temperatuur mijn brood op een lage temperatuur in de oven rijzen. Je kunt het brood ook op een warme, tochtvrije plaats laten rijzen.

Volkorenbrood

Het is niet eenvoudig om een perfect brood te maken. Maar als je de uitdaging aangaat, word je rijkelijk beloond want of het nou perfect lukt of niet, zelfgemaakt brood smaakt altijd lekker!

BEREIDEN

1. Verwarm de oven voor op 50 °C. Roer in een grote kom de bloem met het gist en 3 dl lauwwarm water door elkaar. Kneed het deeg met je handen in ongeveer 10 minuten tot een soepel deeg; voeg halverwege het zout toe. Dek de kom af met plasticfolie en zet het in de voorverwarmde oven. Laat het deeg minimaal 30 minuten rijzen.

2. Haal het deeg uit de oven, kneed het deeg nog een keer goed door en maak er een mooie gladde bol van. Leg het deeg op een met bloem bestoven bakplaat, strooi er lichtjes nog wat bloem over en maak met een scherp mes een paar ondiepe inkepingen in de bovenkant.

3. Dek het deeg opnieuw af met plasticfolie en laat het voor een tweede keer 30-50 minuten in de oven rijzen, tot het deeg in volume is verdubbeld. Haal het deeg uit de oven en verhoog de oventemperatuur naar 210 °C.

4. Plaats, zodra de oven op temperatuur is, de bakplaat in het midden van de oven en bak het brood in 35 minuten goudbruin en gaar. Laat het brood op een rooster afkoelen. Probeer een stukje van het brood als het nog lauwwarm is en smeer er alleen een beetje echte boter op. Heerlijk!

1 BROOD

500 gram volkorenbloem
1 ½ zakje gedroogde gist (à 7 gram)
1 ½ theelepel zout
bloem, om te bestuiven

EXTRA NODIG
plasticfolie

Index

Index op categorie

Index op ingrediënt

293

Index op ingrediënt

Index op ingrediënt

Dankwoord

Job, Sven, Mirjam en Eline; heel erg bedankt voor jullie inzet. Mede dankzij jullie is Lekker Hollands een bijzonder en mooi kookboek geworden.

Ik vond het heel erg leuk om met Job te werken. Zijn liefde voor eten en drinken is groot en zijn enthousiasme om Amsterdamse markten af te struinen naar bijvoorbeeld de allerlekkerste tomaatjes werkt aanstekelijk. Hij laat zich inspireren door wat hij ziet en gaat daarna - nadat hij mij even heeft gesproken - thuis lekker aan de slag. Job en Helen zijn ontzettend gastvrij en koken veel en vaak voor vrienden en familie.

De bijzondere foto's van Sven vertellen altijd net wat meer over het eten. Sven, je bent een groot talent.

Mirjam, wat ben ik blij dat je dit boek met ons hebt willen maken. Jouw styling geeft de gerechten precies die Hollandse sfeer die ze nodig hebben.

En last but not least Eline. Als jij ons niet zo op de huid had gezeten waren we nu nog steeds alles aan het 'fine tunen'. Je hebt ontzettend hard gewerkt aan dit project.

René en Joyce van mo'media, dank voor het vertrouwen dat jullie mij hebben gegeven. De uitgaven van mo'media spreken mij erg aan en ik ben dan ook heel trots dat ik er nu een eigen boek aan toe heb kunnen voegen.

Ik heb dit boek alleen maar kunnen maken omdat ik een aantal bijzondere mensen om me heen heb gehad. Door veel met hen te koken hebben zij hun visie over eten en drinken met mij gedeeld. Peter Begg, Jannis Brevet, Koen van Brunschot, André van Doorn, Kees Elfring, Ruth Rogers en Rose Gray, Martijn Kajuiter en Ronald Keunis, Chris Lee, Charlene Canard-Nicholson, Jamie Oliver, Sabine Reestman, Petra Rijsemus, en David Tannis. En natuurlijk niet te vergeten alle chefs, vrienden en collega's uit de hele (culinaire) wereld met wie ik veel heb samengewerkt, gekookt, gegeten, gedronken en oeverloos gesproken over alles wat met ons vak te maken heeft.

Leveranciers met de mooiste ingrediënten maar ook liefde en passie voor jullie vak, wij begrijpen elkaar! Speciale dank aan Dimitri en Diante Roels, Henk Struijs van De Wijnvriend, Ben te Voortwis van boerderij de Lindenhoff, Maarten van Caulil van Caulils delicatessen, Slager Simon Raa, Herman van Koeveringe van De Wolverlei, Walter Abma, Els en Jan Oude Voshaar van wijngaard De Wageningse Berg, Chris en Willem van Jan van As, Dirk van Chateaubriand, Betty en Martin Koster van L'amuse en Rudolf Nipius. Speciale dank ook aan de mannen van De Panhoeve (foto pagina 63) die Sven en mij een bijzondere middag in Zeeland hebben bezorgd.